Haut et court

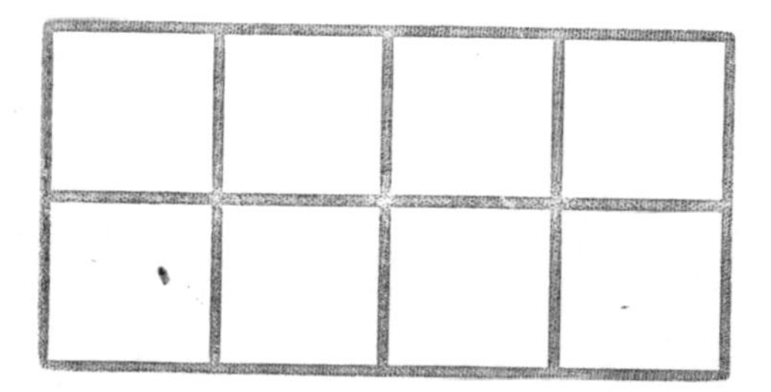

DU MÊME AUTEUR

AUX ÉDITIONS LE BORD DE L'EAU

Les Douleurs fantômes, récit, 2007.

Jean-Pierre Raffarin, fulgurances et platitudes, 2003.

Hymnes à la bêtise,
préface de Bruno Masure, 2002.

Maurice Papon, de la collaboration aux assises,
préface de Michel Slitinsky, 1997.

Philippe Cohen-Grillet

Haut et court

le dilettante
19, rue Racine
Paris 6e

ISBN 978-2-84263-720-0

Avertissement

Ce livre est une fiction. Il a été inspiré par un fait divers qui s'est déroulé à Coulogne, dans le Nord-Pas-de-Calais, en septembre 2007. Hormis ce point de départ, tout ce qui suit, et toute ressemblance avec des événements ou des personnages ayant réellement existé, etc.

Il y avait des moments de panique et de vide,
des échos de rires, des flambées de souvenirs,
la fatigue fouillait dans le tout-à-l'égout de la mémoire
et rejetait à la surface des bribes de bonheur.
Le reste était angoisse et remords.

Romain Gary
Clair de femme

1

Ce jour-là, en début de soirée, un peu avant l'heure de l'apéritif que nous ne prenons jamais, papa nous a réunis dans la salle à manger et a déclaré : « Aujourd'hui, plutôt que de passer à table, on va se passer la corde au cou. »

Sur le coup, j'ai un peu regretté. Non pas que je n'avais plus envie de me foutre en l'air. J'en avais autant envie que d'habitude, ni plus ni moins. Mais on était mercredi. Et le mercredi, c'est le jour où maman nous prépare des tomates farcies. Ou des endives au jambon. Mais c'est plus rare, et ce mercredi, c'étaient bien des tomates farcies. À peine rentré dans notre pavillon, j'en avais humé le fumet qui s'échappait de la cuisine et salivais par avance à l'idée d'ôter le petit capuchon de la tomate pour en extraire un peu de farce et la mélanger avec un petit morceau de tomate, du jus et du riz. Maman ajoute toujours du basilic et de la chapelure avec la viande hachée. C'est ce qui fait toute la différence. J'étais donc un peu déçu que papa ait choisi un mercredi. Mais de toute façon, une fois les préparatifs achevés, ce qui nous a pris beaucoup plus de temps que prévu, les tomates farcies avaient refroidi et je n'avais plus très faim. Pas trop de regrets à avoir, donc.

C'est un peu de ma faute si nous avions pris du retard. Tout était pourtant réglé comme du papier à musique. Chacun savait exactement ce qu'il avait à faire. Maman et ma sœur ont déplacé les quatre chaises de style Henri II assorties au buffet pour les disposer côte à côte dans la salle à manger. En rang. Bien alignées. Papa s'est rendu dans le garage et est revenu avec les cordes que j'avais achetées la semaine précédente chez Decathlon. Au début, j'avais pensé aller dans un magasin de bricolage, il y a un Leroy Merlin à la sortie de la ville, juste avant la rocade. Mais papa m'en a dissuadé en m'expliquant : « Il nous faut du solide. Tu ne vois pas qu'une corde casse et qu'un de nous quatre se retrouve le cul par terre. On aurait l'air malin et aucun d'entre nous ne pourrait lui venir en aide. Il nous faut du costaud,

genre bout de marine ou corde d'alpinisme. »
C'est comme ça que j'ai eu l'idée du Decathlon, qui n'est d'ailleurs pas très éloigné du Leroy Merlin, à la sortie de la ville, juste avant la rocade. Au rayon « montagne », le nombre de références de cordages proposé m'a un peu décontenancé. Il y en avait pour tous les goûts : au moins huit diamètres différents, sans parler des matières, ni des coloris. Allez choisir ! Heureusement, un vendeur est venu à ma rescousse. Pour ça, ils sont très bien chez Decathlon. Le conseil, c'est leur « plus ».

– C'est pour de la varappe ? m'a-t-il demandé. Couloirs rocheux ou parois abruptes ?

– Euh, les deux, je crois, ai-je répondu sans trop savoir.

– Alors, j'ai ce qu'il vous faut.

Et il m'a dégoté une belle corde : six millimètres de diamètre, blanche avec des rayures bleues, vendue au mètre, à 0,95 euro. J'en ai pris douze mètres. Trois pour chacun. Il vaut mieux compter large que de se retrouver bien embêté parce que c'est trop court. Et en général, je compte toujours large. Total : 11,40 euros.

Mais je m'égare. Si nous avions pris du retard, disais-je, c'était donc de ma faute et j'y viens. Tout était bien organisé et il m'incombait de faire les nœuds. C'est moi qui avais réclamé que cette tâche cruciale me revienne – bien que toutes les autres n'en soient pas moins importantes. Car j'avais longtemps cherché sur Internet la meilleure façon de réaliser un nœud coulant. Et j'avais trouvé !

Là encore, il n'avait pas été facile de choisir entre les différentes techniques. Il y a d'abord le nœud coulant simple : « Un demi-nœud d'arrêt empêche le nœud coulant de glisser sur lui-même et de se défaire quand on le serre », était-il expliqué. Avantage du nœud coulant simple, il « consomme le moins de longueur, pour un résultat toujours honorable ». Mais ça ne présentait pas grand intérêt, vu que j'avais compté large. Ensuite, je suis tombé sur le « nœud du pendu inventé par le bourreau londonien Jack Knight au XVIIe siècle ». Là, il fallait réaliser « sept à neuf trous avec la corde » pour permettre au nœud de coulisser. Et, comme par miracle, « un léger effet de frein maintient la boucle ouverte tant que ce qui doit être pris ou suspendu ne se balance pas dans le vide ». Ingénieux mais trop compliqué. Enfin, j'ai fini par trouver mon bonheur : « Le nœud de laguis, qui est un nœud coulant utilisant un nœud de chaise comme boucle dans laquelle coulisse le dormant. » La méthode est simple : on commence par faire une boucle, qu'on appelle le « puits », ensuite « le serpent sort du puits, fait le tour de l'arbre et rentre dans le puits ». Fastoche ! Grâce à cette astuce mnémotechnique, je ne risquais pas de me gourer. Je me suis quand même entraîné.

Mais ce mercredi, allez savoir pourquoi, j'ai raté mes nœuds. Le trac sans doute. Résultat : tous mes nœuds coulants étaient inutilisables. Heureusement que je m'en suis aperçu à temps car là, c'est sûr, on se serait retrouvés tous les quatre le cul par terre. Il a donc fallu recommencer les nœuds. Depuis le début. Cette fois, pour ne plus m'emmêler, je suis monté dans ma chambre pour imprimer le mode d'emploi que j'avais trouvé sur le site internet. Il y avait même un schéma, mais il ne ressortait pas bien car il était en couleurs et la cartouche de bleu outremer de mon imprimante commençait à montrer des signes de fatigue. Elle allait bientôt rendre l'âme, vidée. Aussi, pour ne pas commettre de nouvel impair, je m'en suis tenu aux seules consignes du texte que j'ai suivies à la lettre. Pas à pas, en prenant mon temps et en m'appliquant. « Bon, alors, je recommence : le puits, le serpent et l'arbre », ai-je repris devant toute ma famille suspendue à mes lèvres autant qu'à mes gestes. « Un, je fais une boucle. Deux, je fais passer le courant du nœud dans la boucle. Trois, je contourne le dormant avec le courant et… quatre, je fais revenir le courant dans la boucle, parallèlement au premier passage… mais dans l'autre sens ! Eh oui, le serpent sort bien du puits, il fait bien le tour de l'arbre avant de rentrer dans le puits mais dans l'autre sens ! » C'est ça que j'avais oublié. À se demander où j'avais la tête.

Papa m'a un peu aidé pour accélérer les choses. Il a reproché à ma mère de ne pas mettre la main à la pâte. « Mais tu sais bien que je ne comprends rien à Internet », lui a-t-elle sèchement rétorqué. Ça m'a un peu contrarié qu'ils se chamaillent. Surtout un jour comme celui-là. C'est comme un dimanche de noces (même si on était mercredi) : on voudrait que tout se déroule comme prévu et, surtout, que personne ne se dispute. Et puis après tout, c'était de ma faute. Maman n'y était pour rien.

Finalement, sur le coup de 20 h 10, 20 h 15 peut-être, tout était fin prêt. C'est à ce moment que ma sœur s'est écriée : « La lettre ! On a oublié la lettre ! » Elle a de la présence d'esprit ma sœur. Heureusement. Car en effet, mon père n'avait pas disposé le mot sur la table de la salle à manger. Nous l'avions rédigé collectivement et ça n'avait pas été une partie de plaisir. Des heures entières à chercher les phrases, les mots, les bons, avant de se décider. Il y en avait toujours un à qui ça ne convenait pas : « Il faut ajouter ceci »,

« Il ne faut pas dire ça comme ça », « Moi, j'aurais plutôt écrit… » Et patati et patata. Des heures et des heures à plancher pour, finalement, oublier la lettre. Vraiment, c'eût été trop bête. Tout le monde a dévisagé mon père qui, je crois, s'est senti dans la posture de l'accusé. « Bon, oui. J'ai oublié la lettre, d'accord. Mais aussi, c'est à cause de votre mère qui n'a pas enlevé le couvert. Ce n'était pas prévu que le couvert soit mis. Ça m'a embrouillé. » À ce moment, j'ai bien cru que maman allait sortir de ses gonds. D'abord on lui reproche de ne pas aider à faire les nœuds et maintenant, d'avoir mis le couvert. Faut quand même pas pousser ! J'ai bien remarqué qu'elle bouillait intérieurement. Pour éviter que tout ça dégénère en querelle conjugale, j'ai pris la parole pour apaiser les esprits. D'autant que les assiettes étaient posées sur la table et que, en cas de querelle conjugale, la vaisselle à portée de main, ce n'est jamais très bon. « Ce n'est pas grave. Sœurette, va chercher la lettre s'il te plaît. Moi, je vais débarrasser la table. » Finement joué. Ma sœur a grimpé à l'étage. Papa et maman se sont assis et j'ai rangé les assiettes dans le buffet de style Henri II assorti aux chaises.

J'allais m'emparer des couteaux et des fourchettes quand mon père a dit : « Laisse tomber. Ce n'est pas grave. On a assez perdu de temps comme ça. » Ma mère a acquiescé : « C’est vrai. » Ils étaient d’accord, ou, à tout le moins, n’allaient pas se disputer : j’étais heureux.

Ma sœur a posé la lettre entre les quatre verres Pyrex, bien au milieu, sur le repose-plat où auraient dû se trouver les tomates farcies. Et nous sommes montés sur les chaises.

2

Macabre découverte dans la véranda. Quatre membres d'une même famille ont été retrouvés pendus

Dans le paisible quartier, c'est la consternation et l'incompréhension. Hier, jeudi, vers trois heures de l'après-midi, madame Bin a découvert les corps sans vie de ses quatre voisins, les parents et leurs deux enfants, pendus dans leur salle à manger. Selon les premiers éléments recueillis sur place par les gendarmes, il s'agirait bien d'un suicide collectif. Quelles peuvent être les causes de ce terrible drame familial ? Qu'est-ce qui a pu pousser au désespoir une famille unie et réputée sans histoires ? Pour l'heure, tout le monde se perd en conjectures. « Je suis consternée et je n'y comprends rien », nous a déclaré la voisine à l'origine de la sinistre découverte. Selon cette retraitée, connue et aimée de tous dans le quartier où elle a passé sa vie, rien ne laissait présager un tel geste. Les quatre membres de la famille étaient des gens simples et affables. Le père avait pris sa retraite anticipée après avoir travaillé durant plus de trente ans comme comptable à l'usine locale de produits émaillés bien connue de notre région. La mère était femme au foyer. Quant aux deux enfants, ils ont suivi une scolarité que l'on peut qualifier de « normale ». La fille s'était trouvé un emploi de secrétaire au sein d'une agence d'auto-école. Bien qu'au contact direct et fréquent des jeunes venus passer leur permis de conduire, on ne lui connaissait pas de liaison sentimentale. Quant au fils aîné, il avait certes connu un parcours plus chaotique. Après son bac de gestion, il avait vainement tenté d'intégrer l'entreprise où exerçait son père. Multipliant les « petits boulots », il venait apparemment de se poser et avait trouvé depuis quelques mois une place fixe comme magasinier en charge de la gestion des stocks dans un hypermarché situé à la sortie de la ville, près de la rocade.

Toujours selon la gendarmerie, les suicides se seraient déroulés de manière « quasi-simultanée ».

Les quatre désespérés seraient montés sur des chaises de style Louis-Philippard avant d'y donner chacun un coup de talon fatal. Les cordes utilisées pour leur funeste dessein auraient été achetées dans une grande enseigne d'articles de sport, au rayon « montagne », comme semble l'attester un ticket de caisse à 11,40 euros retrouvé par les gendarmes. Il faudra attendre l'autopsie, qui doit avoir lieu ce lundi, pour en savoir plus. De son côté, le parquet a ouvert une enquête pour « recherche des causes de la mort », confiée à la gendarmerie. Un détail, toutefois, intrigue les enquêteurs : un repas, composé de hachis parmentier selon la voisine, avait été préparé et la table était dressée pour le déjeuner. Pourquoi les quatre malheureux n'ont-ils pas consommé ce plat ? Pourquoi se sont-ils refusé ce dernier plaisir avant de se donner la mort ?

Si j'avais lu cet article, il m'aurait mis en boule. Dans une colère noire. Quoi ? Pas un mot sur notre lettre ? Alors que nous y avions apporté un soin tout particulier et, j'insiste au risque de me répéter, y avions passé des heures ! Mais ça, Monsieur le Journaliste s'en moque. Non, tout ce qu'il retient, c'est que notre voisine « n'y comprend rien ». De toute façon, elle n'a jamais rien compris la vieille chouette. Depuis le temps, ça se saurait. Mais la corde de montagne, ça, ça l'intéresse le pigiste ! Et notre lettre, notre texte, presque un testament, chaque mot pesé et soupesé au terme d'âpres négociations dignes d'une résolution du Conseil de sécurité de l'Onu ! Rien. Rien de rien. Pas une ligne !

Mais pourquoi donc ? Je ne vois que deux hypothèses : soit les gendarmes ne lui en ont pas parlé, soit il est au courant pour la lettre mais a jugé superflu d'en faire état. Si ce passage sous silence est délibéré, il a bien de la chance que je ne puisse pas envoyer une nouvelle lettre, celle-là au courrier des lecteurs de sa feuille de chou. Il m'aurait entendu ! Quant à ses interrogations de Sherlock Holmes de presse régionale sur notre dernier repas même pas pris, il peut repasser. Je t'en foutrais, moi, du hachis parmentier. C'était des TOMATES FARCIES ! C'est pas compliqué quand même, c'était mercredi. Bonjour la rigueur journalistique. Ça chiffonne les gendarmes ? Ça ne m'étonne pas d'eux ! Toujours aussi finauds les pandores du coin. Bons qu'à se mettre en planque pour nous verbaliser le samedi à deux heures du matin aux abords de l'Amnésya, le night-club de la sortie de la ville, près de la rocade. Le seul de la région. Décidément, ils nous auront toujours emmerdés. Et qu'est-ce que cette vieille bique de madame Bin faisait dans notre salle à manger jeudi à trois heures de l'après-midi? Moi, c'est ça qui me chiffonne. À moins que ce ne soit elle qui ait chopé la lettre au passage. Dans ce cas tout s'expliquerait. Au moins l'article. Mais pourquoi aurait-elle escamoté notre dernière missive, la mémé? Le mystère s'épaissit.

3

Un soir, mon père est rentré du travail bien plus tard que d'habitude : son nœud de cravate dénoué, le haut de la chemise déboutonné et un coup dans le nez. Ça ne lui ressemblait pas. Rétrospectivement, il me semble, enfin je crois bien, non ! je suis même certain que c'est ce fameux soir que tout a commencé. Sans faire de bruit ni crier gare, sans même que nous nous en rendions compte.

Déjà, durant le déjeuner (nous rentrions souvent manger à la maison vers midi. Pour faire plaisir à maman, pensions-nous), papa n'avait pas eu l'air d'être dans son assiette. C'était un jeudi. Je m'en souviens très bien parce que ma mère avait préparé un hachis parmentier. Mon père faisait la gueule et il s'était même laissé aller à une remarque désagréable prétextant que le bœuf était « un peu sec ». « T'as qu'à mettre de la sauce dessus », avait lâché ma sœur imprudemment. Papa, lui, en avait laissé tomber ses couverts : « D'abord, tu ne me parles pas sur ce ton ! Je suis ton père quand même ! » Tout ça pour de la viande hachée. Plus personne n'avait desserré les dents jusqu'aux crèmes caramel. Mon père avait à peine touché à la sienne lorsqu'il a repris son imperméable et son attaché-case, à 13 h 15, pour s'en retourner à l'usine. « Ce soir, je vais rentrer un peu plus tard. Il y a l'adjoint du directeur des ressources humaines qui fait son pot de départ à la retraite », nous avait-il dit. J'avais décelé dans sa voix une pointe de lassitude. Peut-être même de tristesse. Et avant de franchir le seuil de la porte, il nous a pris à témoin :

– Vous vous rendez compte ! En préretraite à cinquante-sept ans, le DRH adjoint ! Si maintenant ils se mettent à se virer entre eux... Vous verrez, c'est bientôt mon tour. Je serai le prochain.

Maman a pleuré en silence. Des larmes sont tombées dans les ramequins de crèmes caramel qu'elle était en train d'empiler avant de les emporter en cuisine. C'est la première fois, et la seule, où j'ai vu ma mère les yeux embrumés. Ma sœur s'est approchée pour déposer un baiser sur sa joue. Maman a esquissé un sourire forcé et fait comme si de rien n'était :

– C'est vrai que le hachis était trop sec.

D'un accord tacite, sœurette et moi n'avons pas relevé et rien ajouté. Elle a regagné l'auto-école, moi l'hypermarché où des palettes de boîtes de conserve m'attendaient sur le parking « livraisons ». Ce jeudi-là, j'ai bien compris que quelque chose venait de se casser. Définitivement. Comme la pièce d'un vieux moteur qui s'use au long cours, se fissure et finit par se briser net, laissant le véhicule hors d'usage parce que hors d'âge et aussi parce que, ces pièces-là, on n'en trouve plus. Pas même au fond d'une casse.

La confirmation de mon intuition est venue le soir même, avec le retour de mon père, sa cravate de traviole et son regard vitreux. Il avait l'air gai, sans doute grâce à son petit coup dans les carreaux. Il n'a même pas ôté son imperméable bleu marine avant de s'affaisser dans le fauteuil :

– Ah, ils l'ont pas raté le DRH adjoint ! En cadeau de départ, le directeur général lui a offert « une pièce quasi unique issue des collections de notre production qui honore la région ». J'ai nommé : « un plat émaillé série limitée François Ier de 1923 », s'il vous plaît ! Tu parles.

Un bidet à pisse, oui ! Et lui, tout fier de ses « vingt-cinq, que dis-je, vingt-sept ans passés au service de cette entreprise familiale qui est devenue ma seconde famille ». Texto les enfants ! Voilà le baratin qu'il nous a débité avant de quitter les lieux pour la dernière fois et de rentrer chez lui. Avec son bidet à pisse sous le bras !

Nous autres l'écoutions, plantés devant lui en rang d'oignons, debout, les bras ballants. On ne pouvait plus l'arrêter :

– Ils ont bien fait les choses ! Canapés aux rillettes, charcuterie fine de l'hypermarché, vin rouge, jus d'orange et ils ont même sorti trois bouteilles de champagne lorsqu'on s'est retrouvés « en petit comité ». Une secrétaire avait préparé une tarte salée et une autre de la sangria qu'elle a apportée dans un grand saladier. Même pas émaillé ! Le directeur n'a pas lésiné sur les compliments : « Vous êtes irremplaçable. » C'est sûr, d'ailleurs il ne sera pas remplacé. « Alors ? Un homme tel que vous, encore dans la force de l'âge et avec l'avenir devant lui, qu'est-ce que vous allez faire de tout ce beau temps ? Vous avez bien des projets, une passion secrète que vous nous avez cachée ? » Il a pas su quoi répondre l'adjoint du DRH. Il a balbutié un truc incompréhensible à propos d'un rêve d'aller pêcher le saumon à la mouche au Canada. Oublie pas ton bidet à pisse émaillé, DRH, ça te fera une jolie épuisette!

Jamais vu ma mère pleurer auparavant, ni mon père dans un tel état. Pour une même journée, ça fait beaucoup.

Maintenant, je me rappelle très bien, je suis sûr à 100 % que c'est ce jeudi soir que le sujet est venu sur le tapis pour la première fois. À écouter mon père, le directeur adjoint des ressources humaines n'avait plus qu'à se flinguer. Mieux! « se noyer au milieu des truites saumonées canadiennes les pieds lestés par un bidet à pisse émaillé François Ier ». Ma sœur et moi attendions la réaction de notre mère avec impatience et inquiétude. Nous n'avons pas été déçus : « Oui, d'autant qu'il n'a pas de famille cet homme-là. Ça ne ferait de chagrin à personne. » Mon père n'était pas de cet avis : « Au contraire! Lui au moins n'a rendu personne malheureux. Il n'a pas pris d'otages et n'a entraîné personne dans sa chute. Il a limité les dégâts. Ça pourrait le dissuader de se faire sauter le caisson à ce con. Trop d'orgueil. » « En tout cas, il pourra toujours se payer de belles funérailles avec sa prime de préretraite », a conclu ma mère qui aimait avoir le dernier mot.

À soirée exceptionnelle, décision extraordinaire : nous avons pris un apéritif. Bartissol pour les femmes, vin blanc d'Alsace pour les hommes. Nous avons eu beau chercher en cuisine, nous n'avons trouvé que ça. Maman se servait du Bartissol pour une sauce (je n'ai jamais su laquelle) et du vin blanc pour la choucroute.

– On devrait peut-être faire ça plus souvent, a envisagé mon père en levant son verre. Tu pourrais peut-être *emprunter* une ou deux bouteilles d'Americano à l'hypermarché, mon fils ? Ils te doivent bien ça.

Ma mère s'est mise à rire de bon cœur avec son mari. Elle avait chaud. Le vin cuit sans doute. Puis nous sommes passés à table. Je me souviens que papa et moi avons continué au blanc alsacien et que, le lendemain, il a oublié son attaché-case en partant pour l'usine.

Entre les paupiettes au lard du jeudi soir, nous avons trinqué à la santé du DRH. Presque à sa mémoire, comme s'il avait déjà ouvert le gaz, alors qu'il était peut-être tout simplement en train de boucler sa valise, direction les rivières poissonneuses nord-américaines.

4

L'idée s'est installée ainsi, discrètement, tranquillement. Insidieusement aussi. Elle s'est enkystée. D'abord sous forme de boutade, d'une plaisanterie de mauvais goût. Les volets du pavillon du directeur adjoint des ressources humaines restaient clos, nuit et jour. Ça aiguise l'imagination. C'était devenu une sorte de jeu entre nous : où était donc passé le préretraité ? « Au Canada avec les saumons et son bidet », clamions-nous ma sœur et moi. Ce à quoi les parents répondaient invariablement et en chœur : « Mais non ! Il a préféré se noyer dans sa baignoire et on le retrouvera dans quelques mois, à cause de l'odeur. » Bon, c'est sûr, on peut trouver plus délicat. Mais parler de lui nous évitait de penser à nous. Au bureau, à l'usine, enfin, à son bureau de l'usine, mon père nous assurait qu'il n'était plus jamais question du DRH adjoint. Comme le paternel l'avait subodoré, il n'avait pas été remplacé. Et plus personne ne prononçait son nom. Comme s'il n'avait jamais existé. Pourtant, il en avait fait chier des ouvriers ! Même des cadres moyens comme lui. Horaires, retards, cadence, productivité, augmentation de cinquante euros balancée au lance-pierres qui lance peu : il pinaillait sur tout, jusqu'aux arrêts maladie en pleine épidémie de grippe. Normal, il était payé pour ça. Mais plus personne ne parlait de lui, fût-ce en mal. Excepté dans notre foyer, où la mystérieuse volatilisation du DRH était devenue un sujet de blagues morbides.

Puis, un jour, nous avons cessé de rire.

– S'il était vraiment parti pour le Canada, ou ailleurs, vous ne croyez pas qu'il aurait envoyé une carte postale à l'usine, rien que pour vous faire la nique ? a demandé ma mère en criant depuis la cuisine les mains trempées dans le Paic Citron.

Nous trois, restés au salon, ça nous a coupé la chique et passé l'envie de rigoler.

– C'est vrai, a timidement avancé ma sœur. D'ailleurs, s'il était parti pour un long voyage, il aurait demandé à madame Bin d'arroser ses bégonias, comme l'année où il a passé une semaine au Club Palmyre en Tunisie.

Comme si je me regardais et m'écoutais parler, je me suis entendu ajouter :

– Mais oui. Tu te souviens papa ? Maman a raison, il avait envoyé une carte à l'usine qui avait fait jaser parce qu'il écrivait *gros bisous à ma secrétaire préférée* et que personne ne savait de qui il s'agissait.

Mon père a hoché la tête.

Pour nous, c'était donc clair, net et carré. Le DRH était canné, sui-ci-dé ! Et il ne devait pas être en meilleur état que ses bégonias qui commençaient à tirer la gueule. Personne, hormis nous, n'y prêtait attention, jusqu'au jour où la vieille bique de madame Bin a décidé que les fleurs étaient officiellement mortes et qu'elle a entrepris de les dépoter « parce que ça ne fait pas propre ». Et pour récupérer les pots, me semble-t-il.

Du jour au lendemain, le sujet du DRH adjoint est devenu tabou, même entre nous quatre. Pourtant, il nous hantait. Nous y pensions tous, nous autres, souvent. Il était parti. Nous ne savions pas pour où, mais à coup sûr pour des cieux meilleurs, loin de l'usine, de l'hypermarché, de la mère Bin et des bégonias à la con. Bref, nous commencions à l'envier. Un comble ! Qui l'eût cru ? Préférer le sort, fût-il funeste, du DRH adjoint – sans famille ni amis et qui n'avait même jamais mis les pieds à l'Amnésya – à notre condition, dont la morne banalité nous assurait seulement que nous ne dépasserions jamais la rocade, avant la sortie de la ville.

5

Papa et maman avaient ouvert la brèche de la déprime avec leur histoire de DRH qui aurait choisi de passer de vie à trépas. Mais c'est moi qui ai commencé la dégringolade en premier, entraînant les trois autres, comme une cordée qui dévisse. Un peu à cause de l'hypermarché, et aussi un peu à cause de Caroline. Quoi qu'il en soit, les deux sont liés et je ne vais pas organiser une distribution de prix. Ni pointer mon directeur de l'époque comme coupable ou désigner Caroline comme chèvre-émissairesse. La connerie, nous l'avons décidée à quatre, en famille, et sans besoin de quiconque pour nous aider, voire nous inciter. Quand on commet un « geste désespéré », la moindre des élégances, c'est de l'assumer.

J'ai connu Caroline dès le deuxième jour de ma période d'essai en qualité de « magasinier en charge de la gestion des stocks » de la grande surface. Je l'ai vue arriver un samedi, sur les coups de vingt heures, alors que les caissières commençaient à regarder fixement leurs montres et, de travers, les clients retardataires qui attendent la dernière demi-heure pour leurs traditionnelles courses hebdomadaires. Elle était au volant d'une petite estafette Volkswagen, qui roulait encore en dépit de son allure antédiluvienne, preuve que, question bagnoles, les Allemands sont quand même fortiches. J'en étais à cette réflexion qui relève du courrier des lecteurs d'*Auto-Journal* (j'en suis bien conscient), quand elle est venue garer son tas de boue sur le parking réservé aux livraisons. Un peu mon domaine. Je me souviens que j'ai souri intérieurement car sa camionnette était du même modèle que celle du film *Massacre à la tronçonneuse*. Ben oui, on peut aimer les voitures *et* être cinéphile. C'était mon cas.

– Excusez-moi, mademoiselle. Mais il ne faut pas vous garer là. Je sais qu'il n'y en a pas en ce moment, mais c'est la place réservée aux livraisons, ai-je dit avec le plus de gentillesse possible.

Ça ne lui a fait ni chaud ni froid. Peut-être

d'ailleurs ne m'avait-elle même pas entendu, le son de ma voix étant recouvert par le boucan du moteur qui rappelait celui d'un tracteur d'Allemagne de l'Est. Elle a coupé le contact et est descendue en même temps que la porte latérale de la Volkswagen coulissait pour laisser apparaître un gaillard autour de la cinquantaine, avec un pull de montagne rouge et bleu et une tignasse qui semblait ne pas avoir vu un peigne depuis un bail. En plus, à mon avis, il ne devait pas boire que de l'eau. Mais maman m'a toujours appris à ne pas juger les gens sur une première impression et encore moins sur leur apparence. J'ai quand même repensé aussi sec à *Massacre à la tronçonneuse*.

Caroline, dont j'ignorais alors encore le prénom pour quelques instants (elle n'allait pas tarder à se présenter), s'est avancée vers moi suivie du pull montagnard. Elle portait une paire de bottes en daim qui avaient dû être beige clair à l'origine, un jean, un gros blouson qui la boudinait un peu et un bonnet de laine. J'ai aussitôt remarqué qu'elle avait de très beaux yeux, aussi beaux que clairs. Mais en cette saison, la nuit était déjà tombée depuis belle lurette et la lumière blanche des lampadaires du parking « livraisons » ne me permettait pas de distinguer s'ils étaient bleus ou verts. Elle s'est approchée un peu plus et j'ai encore remarqué qu'une mèche bouclée de ses cheveux châtains s'échappait de son bonnet. Je l'ai bien regardée et j'ai regretté de ne pas m'être montré encore plus gentil en lui disant de ne pas se garer là.

– Bonjour, je suis Caroline de la Banque alimentaire. Lui, c'est Francis, qui nous donne un coup de main. Je viens pour prendre les DLV. Vous devez être le nouveau. C'est normal, vous ne pouviez pas savoir.

En effet, et j'ajoute que je ne comprenais pas tout. Mais j'ai répondu à sa poignée de main et j'ai constaté qu'elle avait les doigts tout froids. Sans doute que le chauffage de la Volkswagen est hors d'usage, ai-je pensé.

– Oui, j'ai commencé hier. Excusez-moi.

Je me suis interrompu pour serrer la main du pull de montagne et j'ai repris :

– Vous venez pour prendre quoi ?

– Les DLV, les dates limites de vente. Je viens deux fois par semaine, le mercredi et le samedi soir pour les emporter. Je vais vous expliquer.

Là c'est sûr, les DLV et tout le toutime, ça mérite quelques éclaircissements. C'est pas sorcier, mais faut connaître. Et si on n'est pas dans la branche, forcément, c'est du chinois.

Dans mon hypermarché, comme dans toutes les grandes surfaces de France et de Navarre, on vend des denrées périssables. Il y a des DLC, des DLV et, pour tout compliquer, des « À consommer de préférence avant le... » Ce n'est pas si simple et il n'y a pas intérêt à se mélanger les pinceaux, au risque de se faire méchamment taper sur les doigts par la répression des fraudes. Donc, voilà. Les DLC, ce sont les dates limites de consommation. Inutile de préciser que si elle est dépassée sur un yaourt ou un bifteck, mieux vaut ne pas s'aventurer à l'avaler. Sinon, c'est la gastro, voire l'intoxication alimentaire quasi assurée. Alors, pour éviter d'empoisonner toute la région avec de la bouffe avariée, et parce que le client n'est pas con et ne va pas acheter un produit bon à mettre à la poubelle dans les vingt-quatre heures, on a inventé les DLV. Il s'agit de nos dates limites de vente. En clair, quand la date de péremption du yaourt approche, on le retire de la vente, avant même que sa DLC fatidique expire. Je pense être clair. Quant aux articles « À consommer de préférence avant le... », tout tient dans la « préférence ». Même après la date indiquée, on peut se l'envoyer sans craindre de tomber malade, il est tout simplement un peu moins bon que durant sa période de consommation optimale. Bref, c'est dégueulasse ou ça n'a plus de goût du tout, mais ça ne file pas la courante. Et ça aussi, le chaland le sait.

Donc, en général, il n'achète pas un produit « À consommer de préférence avant le… » si cette date approche.

Du coup, entre toutes ces subtilités du calendrier, on se retrouve tous les jours avec un tas de produits de bouche invendables, même s'ils sont encore bons pour deux ou trois jours voire plus, mais alors ils seront moins savoureux. Inrefourgables, rien à faire : on vire tout ça des rayons. Or, c'est précisément cette marchandise-là que Caroline venait chercher deux fois par semaine pour les nécessiteux de la Banque alimentaire. Les pauvres, eux, se foutent pas mal que les biscottes soient moins croquantes, ou qu'il faille se manier de griller les saucisses sous deux jours avant qu'elles ne virent au vert. C'est de la nourriture, encore bonne ou pas trop repoussante, et ça cale l'estomac.

Caroline et le costaud quinquagénaire voulaient donc s'emparer des barquettes de viande hachée, des plaquettes de beurre, des cagettes de salades défraîchies et de tomates fripées, des packs de lait ainsi que des taboulés sous vide que je m'apprêtais à déverser en vrac dans la benne verte qui servait de gigantesque poubelle pour tout ce qui n'est plus utile au magasin.

– Attendez ! ai-je dit en m'interposant entre les représentants de la Banque alimentaire et nos futurs déchets. Je ne sais pas. On ne m'a rien dit. Je vais quand même demander au directeur si vous voulez bien.

Caroline a haussé les épaules en guise d'acquiescement. Trop aimable. En gravissant l'escalier en colimaçon qui séparait la réserve des bureaux de la direction, j'ai bien pensé que j'aurais pu leur donner toute cette boustifaille sans avoir à en rendre compte. Après tout, personne n'en voulait et ça pouvait faire des heureux. Mais c'était mon deuxième jour et je ne voulais pas commencer par une grosse bourde. J'ai donc frappé à la porte du directeur qui a hurlé un « Oui ! » désagréable pour m'inviter à entrer. Il était en train de s'acharner sur la calculette pour établir les comptes du jour. Pas de doute, je dérangeais. Timidement, j'ai expliqué : la camionnette, les deux personnes de la Banque alimentaire, les DLV qu'ils voulaient embarquer et moi au milieu de tout ça.

– Ben oui ! m'a-t-il encore crié dessus comme si je me tenais à cinquante mètres de lui. Faut leur donner, ça débarrasse ! Viennent deux fois par semaine. J'avais oublié de te le dire. Donc ils prennent leur bouffe et ils se tirent. Et tu ne les aides pas, s'il te plaît ! T'es pas payé pour faire de la manutention pour eux !

– Très bien. Merci, ai-je répondu sans en penser un mot.

Lorsque je suis redescendu, Caroline ne m'a même pas laissé le temps de lui présenter mes excuses et de lui annoncer la bonne nouvelle :

– Bon, ça y est ? Vous avez vérifié qu'on n'est pas des voleurs de poubelles ? On peut charger ?

J'ai hoché la tête. Et je les ai aidés à empiler les victuailles à bord de la Volkswagen.

En reprenant le volant, Caroline a baissé la vitre :

– Merci pour le coup de main, c'était sympa. À mercredi.

Devoir patienter jusque-là me semblait déjà une éternité.

6

« Nous, on collecte et on centralise, m'avait expliqué Caroline. Après, on dispatche auprès des associations qui distribuent la nourriture sur le terrain ou préparent des repas, aussi complets et équilibrés que possible, à consommer dans leurs locaux ou à emporter. Tu vois ? » Oui, je voyais bien : un peu comme un grossiste pour restaurants et traiteurs asiatiques, sauf que les convives n'ont même plus de quoi se payer le menu à 6,50 euros avec riz cantonnais et quart de vin compris.

J'étais heureux qu'elle m'ait tutoyé. Elle, en premier. Sans même me demander pour la forme « On se tutoie ? » C'était venu tout seul. Naturellement. « Et quelles sont les associations avec lesquelles vous travaillez ? » ai-je demandé en formulant maladroitement ma question, pensant à la Banque alimentaire en disant « vous », et craignant qu'elle ne l'interprète comme un refus du tutoiement. « Ça t'intéresse vraiment ? » Elle paraissait étonnée et moi sincèrement intéressé. « Oui, dis-moi. » « Eh bien tu sais, il y en a beaucoup. » En effet, je n'imaginais pas qu'il existe autant d'associations caritatives. Je les connaissais toutes, au moins de nom, mais n'avais jamais dressé la liste, impressionnante, qui donne une idée de l'ampleur de la misère : Les Restos du Cœur, le Secours populaire, le Secours catholique, le protestant, la Croix-Rouge, ATD Quart Monde, Emmaüs, l'Armée du Salut, les petits frères des Pauvres, la Conférence Saint-Vincent-de-Paul, la Mie de Pain, et j'en oublie sans doute. À chacun son credo et sa clientèle. Ça en fait des bouches à nourrir et des ventres à remplir. D'autant que plus ça va, plus ils sont nombreux, les gueux qui crient famine. À croire qu'on a ouvert des usines à fabriquer des crève-la-faim sur les friches industrielles laissées par celles qui auraient dû les employer si elles n'avaient pas fermé leurs portes depuis longtemps. Dans la région, question fermetures d'usines, on a une certaine expérience : restructurations, délocalisations, plans sociaux, compressions du personnel, faillites. On a eu droit à toute la panoplie qui conduit d'abord à Pôle emploi, puis au bar du coin pour « oublier », noyer sa hargne, sa rancœur et son dépit, avant de terminer dans l'une des associations précitées, dont on franchit le seuil honteux, au début, et très vite résigné. De toute façon, il est bien nécessaire de remplir les cabas d'une manière ou d'une autre. Le plus ironique, dans tout ça, c'est que les denrées qui sont ainsi distribuées par charité proviennent du même endroit où ces surendettés venaient s'approvisionner avant d'être virés : du même hypermarché. De mon hypermarché. Les produits sont juste un peu moins frais et, surtout, plus question de les choisir. Quand on est pauvre à ce point, on ne peut plus chipoter et on mange ce que l'on veut bien vous donner. Tant pis pour la fierté. Elle est vite oubliée, promptement ravalée quand on n'a plus un sou. L'orgueil n'a jamais nourri son homme et il n'y a pas grand intérêt à crever la tête haute et l'estomac creux. « Pourtant, tu vois, m'avait fait remarquer Caroline, là, on se goure carrément. Parce que la perte de dignité puis le sentiment d'humiliation, ça génère aussi des ulcères, ou des suicides. »

Moralité : le malheur des uns faisant le bonheur des autres, j'avais le plaisir de voir Caroline deux fois par semaine. Et nos rendez-vous ne risquaient pas de s'espacer.

7

De ma première rencontre avec Caroline, je n'avais pas soufflé un mot en regagnant notre pavillon familial. Ni d'elle, ni de la camionnette de la Banque alimentaire, ni des DLC et des DLV. Motus et bouche cousue. Personne, d'ailleurs, ne m'a posé de questions, hormis celles qui n'attendent pas de réponses. « Ça se passe bien ton nouveau travail ? » a demandé mon père feignant de s'intéresser. « Mais pourquoi veux-tu que ça se passe mal ? Pourquoi veux-tu toujours que ça se passe mal ? » a répliqué ma mère à ma place. « En tout cas, tu rentres tard pour un samedi, a relevé ma sœur. Ça sera comme ça chaque samedi ? Va bien falloir qu'on s'y fasse. » « Oui, on dînera un peu plus tard.

D'ailleurs, à table ! » a conclu maman. Impossible d'en placer une, et cela m'arrangeait car je n'avais vraiment, mais alors vraiment pas du tout envie de parler.

Vu que je restais muet, que ma mère, comme d'habitude, n'avait rien à dire spontanément (elle attendait de « rebondir » sur nos propos) et que mon père n'avait rien à raconter sur sa journée puisqu'il n'allait jamais à l'usine le samedi, c'est sœurette qui s'est chargée de la conversation, pour meubler. Elle avait fait « l'ouverture et la fermeture » de l'agence d'auto-école. « C'est curieux, j'ai l'impression qu'il y a de moins en moins de clients. Je m'en suis bien rendu compte puisque j'y ai passé toute la journée. Je n'ai fait que trois codes aujourd'hui. Ce n'est pas beaucoup, surtout pour un samedi. » Dans le jargon professionnel de ma sœur, « faire un code » signifiait charger les diapositives dans le projecteur qui débite les questions aux postulants du code de la route, pour l'entraînement : a) je klaxonne ; b) je mets mon clignotant et je m'arrête ; c) j'accélère et j'écrase le piéton. Ce genre de trucs quoi. Cinq erreurs au maximum étaient tolérées dans un questionnaire à choix multiples. Et il se trouvait toujours des candidats pour louper l'épreuve plusieurs fois d'affilée. Ce qui avait le don d'exaspérer ma sœur : « Non mais c'est dingue quand on y pense ! Certains trouvent le moyen de se planter à l'examen cinq fois, voire six ! » « Tu devrais être un peu plus indulgente ma fille, l'avait reprise ma mère. Pour toi c'est facile, tu le connais par cœur le code. C'est normal, tu vois défiler les questions à longueur de journée. » Piquée au vif, ma cadette : « Non, ce n'est pas vrai ! Lorsque je fais un code, je lance la série de diapos et je vais m'occuper d'autre chose. Mais moi, je l'ai eu du premier coup, mon code ! Bref, ce n'est pas important. Ce que je voulais dire, c'est qu'il n'y avait pas grand monde à l'agence aujourd'hui. C'est bizarre. »

Selon elle, l'Auto-école Michel & Denise – des prénoms du couple des propriétaires, également les deux seuls moniteurs de conduite de la PME – battait de l'aile. Il y a des signes qui ne trompent pas. Trois malheureux codes seulement, Denise qui avait pris son après-midi faute d'élèves, donc de clients, et une seule nouvelle inscription. Et encore, il s'agissait d'une poignée d'heures de conduite de rattrapage, imposées à un chauffard par le tribunal de police s'il voulait récupérer ses points et son permis qui lui avait été retiré après un rodéo au sortir de l'Amnésya. Donc même pas une véritable inscription, un vrai dossier avec examen du code, vingt heures au minimum d'apprentissage de la conduite et présentation devant l'examinateur. Comme personne ne réussissait du premier coup, les vingt heures se transformaient en trente, puis en trente-cinq, quarante... C'est ce qui faisait tourner l'agence. Pour un samedi, le bilan était bien maigre. Ça pesait sur les comptes et sur les nerfs de ma sœur qui ne supportait pas d'être désœuvrée, d'enquiller des heures de présence sans véritable tâche à accomplir.

Le récit de cette morne journée avait tiré mon père de sa torpeur : « Je sais que ce n'est pas drôle d'aller bosser le samedi, surtout s'il n'y a pas beaucoup de travail. Mais ça occupe quand même un peu. Moi, aujourd'hui, je n'avais rien à faire et je me suis ennuyé. Il va falloir que j'en prenne mon parti. Bientôt, mes semaines vont ressembler à mes week-ends. Ils vont me mettre en préretraite. »

8

Le mercredi suivant, je m'étais préparé, apprêté. Comme pour un premier rendez-vous. J'avais profité de ce que j'étais repassé à la maison à l'heure du déjeuner pour prendre quelques affaires que j'avais enfouies dans un grand sac de l'hypermarché (très pratique avec ses anses et pour sa robustesse) : une chemise blanche, mon pantalon gris, un joli pull bordeaux foncé offert par ma mère qui a toujours trouvé que « le rouge sombre, ça va bien » avec mes cheveux noirs. J'ai aussi emporté une paire de mocassins marron qui m'a coûté un peu cher mais qui en jette. Ce sont des souliers Kenzo. Non pas que j'aie eu les moyens de faire des folies pour des pompes, mais celles-là, je les avais achetées au magasin d'usine qui propose à prix cassés des articles de la saison passée, voire de la saison précédente encore, mais on n'en sait rien et on s'en moque : soixante-neuf euros. J'en ai toujours pris soin. Elles étaient impeccables, comme neuves.

Je me suis changé à la va-vite dans la réserve. J'étais un peu fébrile car j'avais transpiré lors du déchargement de trois palettes de « charcuterie fine » livrées en retard. Les fêtes de fin d'année approchant, il fallait savoir s'adapter aux arrivages de dernière minute. J'ai donc enfilé mes belles fringues entre les caisses encore entourées de plusieurs couches de film plastique (j'avais prévu de venir une heure en avance le lendemain matin pour déballer la marchandise). Pour l'heure, j'avais mieux à faire et meilleur à penser. J'étais donc fin prêt, lavé-repassé, beau comme un sou neuf pour accueillir Caroline.

Bien qu'habitué aux chutes, je n'étais jamais tombé amoureux.

Et j'avais toujours trouvé un chouïa paradoxal que « tomber amoureux » soit censé « donner des ailes ». On se casse la gueule ou on s'envole, il faut choisir !

Surtout, je redoutais ce que ma famille pourrait en dire ou, pis, en penser, si elle venait à l'apprendre. Comme eux, moi aussi, je n'avais jamais cru au « coup de foudre ». Je m'imaginais qu'il s'agissait d'une figure de style bien pratique, d'un « truc » inventé par des romanciers bâcleurs ou des scénaristes pressés, trop contents de pouvoir faire vivre à leurs personnages – et, avec eux, au lecteur ou au spectateur – une belle émotion forte, rapide et vite expédiée, sans chichis. *Coup de foudre à Manhattan* ou *Coup de feu sur Broadway*, à moins que ce ne soit les deux. Même sœurette trouvait ça ridicule et un peu facile. Tout juste bon à justifier les niaiseries qui tenaient lieu de carrière à Meg Ryan, qu'elle appelait « Cucul la praline, le cul en plus ».

Quant aux histoires d'amour, plus lentes et plus amples, je savais bien que ça existait, provoquant surtout beaucoup d'histoires et bien peu d'amour.

Les comédies sentimentales, ce n'était pas trop mon truc.

Mais dès que j'ai vu Caroline, je me suis dit que moi aussi j'aimerais bien me promener en calèche à ses côtés dans ce grand espace vert au centre de New York, qui devait exister puisque je l'avais vu dans des films. Ou l'hiver, l'espace vert étant devenu blanc, engager une bataille rangée de boules de neige. Elle était déjà équipée pour, les bottes en daim et le bonnet de laine. Mais elle aussi devait être du genre à trouver ça puéril, superflu.

J'ignore ce qui a provoqué ce chambardement. Sa jolie frimousse ou qu'elle m'ait rudoyé, ce qui dénotait un sale caractère ? Elle me plaisait, voilà tout. Caroline m'attirait sans même que j'éprouve le désir d'en savoir plus sur son compte. Cela viendrait sans doute, plus tard. Pour le moment, elle me suffisait ainsi, comme elle se suffisait à elle-même et n'avait besoin de personne. Sauf peut-être pour manipuler les cartons de bocaux « sauce tomate du soleil » depuis mes réserves jusqu'à son estafette.

C'est au bruit que j'ai repéré le Combi Volkswagen qui approchait. Je me suis dit que j'aimais cette sonorité de vieille guimbarde. Peut-être même autant que le gazouillis des oiseaux que, de toute façon, on entendait peu, la moitié ayant déjà pris ses quartiers d'hiver en Afrique et l'autre moitié devant pioncer sur des branches en ce début de soirée hivernale. J'ai très vite déchanté. Au début, ce n'était qu'une crainte, diffuse mais prémonitoire. Derrière le volant de la camionnette qui venait se garer sur le parking « livraisons », j'ai eu la déconvenue de ne pas apercevoir le bonnet de laine noir et le visage de Caroline en dessous. À la place, à sa place, j'ai reconnu le pull de montagne rouge et bleu de Francis. Il me restait un mince espoir : peut-être alternaient-ils les rôles, « un coup tu conduis, la fois suivante c'est mon tour ». Peut-être Caroline était-elle à l'arrière. J'ai attendu que la fourgonnette s'immobilise, espérant que la porte latérale coulisserait pour la découvrir. Des nèfles ! Rien de tout ça ne s'est produit.

Francis est descendu, s'est approché de moi et m'a salué : « Salut ! Tu vas bien ? Bon, ben je vais commencer à charger. Tu peux m'aider ? Caro n'est pas là aujourd'hui. » J'avais remarqué, merci. Et surtout, je n'ai pas du tout apprécié cette forme de familiarité. Non pas à mon égard, mais envers Caroline. « Caro » ! Pourquoi pas « la fille » ! Non mais ça lui plairait que je l'appelle par son diminutif – dont d'ailleurs je n'avais aucune idée –, le gars Francis ? Ou en usant d'un surnom : « le montagnard » ? Bref, j'étais en colère mais n'en ai rien laissé paraître. Je n'allais quand même pas me fâcher tout rouge pour si peu et le gars Francis, il valait mieux que je m'en fasse un copain, un allié, pour plus tard. Il me faisait un peu pitié, aussi. « Bien sûr, ai-je donc répondu avec entrain. Je suis toujours là si je peux aider. Et pendant que nous garnissions la Volkswagen de tranches de jambon qui n'en avaient plus que pour deux jours, de fruits et légumes un peu défraîchis et de pâtés de foie, j'ai, prudent mais méthodique, avancé mes pions pour en savoir plus : « C'est vrai que c'est lourd », « Pas un boulot pour les femmes », « Au fait, pourquoi elle est pas là Caroline ? », « Pas malade j'espère. » Francis a terminé d'empiler le pâté avant de se retourner vers moi pour déclarer : « Tout juste, elle a la crève. » J'étais rassuré. Un rhume, ça passe. Elle allait donc revenir bientôt, sitôt guérie de son nez qui coule. Et Francis a achevé de me rasséréner : « C'est rare qu'elle manque une tournée, Caro – *Caro* encore ! ai-je pensé. Elle est vaillante et toujours là, fidèle au poste. Tu sais, c'est elle qui fait tourner la boutique. Enfin, je veux dire, elle qui sait insuffler la force et l'enthousiasme nécessaires à notre petite œuvre caritative. » J'étais soufflé. Non par la révélation des qualités et de la capacité d'entraînement de Caroline dont je n'avais jamais douté, mais par les termes que venait d'employer le gaillard. « Insuffler », « caritative », c'était un vocabulaire qui détonnait un peu avec la dégaine de Francis. Ma mère me l'avait maintes fois répété : « Ne juge pas les gens sur leurs apparences. » Fort bien. Mais alors en face de qui me trouvais-je ? Un érudit en guenilles ? Un pauvre hère avec du verbe? Ça n'a l'air de rien, mais dans la région, il n'était pas si fréquent d'entendre des mots de plus de trois syllabes, qui plus est prononcés dans une phrase avec sujet, verbe et complément. Des « J'crois », « J'peux », « Ça l'fait », j'en ai entendu et j'en ai soupé. Jusqu'à ce que ça me contamine. J'vous jure! Alors le diminutif, « Caro », je pouvais bien le lui pardonner, à Francis. Et s'il me faisait toujours pitié, il commençait aussi à m'intriguer.

En l'absence de Caroline, je me trouvais un peu emprunté, voire un tantinet ridicule dans mes belles fringues. D'autant que je courais le risque d'esquinter mes Kenzo pour que dalle. Francis avait beau être sympa et capable de langage châtié, je me moquais bien de lui faire bonne impression. Pis, c'était du gâchis. Car si j'abîmais mes belles grolles, j'étais bon pour en racheter une paire. Je n'allais pas, la prochaine fois, paraître devant Caroline avec d'ex-belles chaussures. Il n'y a rien qui vous dessert plus que de montrer qu'on a eu l'aisance de bien s'habiller et qu'aujourd'hui, il ne reste de cette période faste que des reliques fatiguées, usées. Ça dénote la dèche, ça signe la misère.

Lorsque je cherchais du travail à l'agence Pôle emploi, c'est à ce genre de petits détails que je reconnaissais les anciens cadres. Ils portaient encore un veston, comme au temps des vaches grasses, quand ils avaient encore du boulot. Mais leurs manches, désormais, étaient élimées. Ils arboraient toujours une cravate, sans doute encore un tic hérité de ce passé si lointain de salariés, mais elle était soit tachée, soit un peu décousue. Quant aux chaussures, la couche de cirage servait à présent à dissimuler un cuir craquelé, usé et foutu. Je les repérais aussi à leur regard, fuyant, presque honteux, les yeux rivés au linoléum en attendant qu'une fonctionnaire préposée à l'aide à la recherche d'emploi les appelle en hurlant le numéro de leur ticket dans la file d'attente : « 135 ! Suivant ! » Les autres, ceux qui n'avaient occupé que des postes subalternes, avaient collectionné les petits boulots ou jamais vu la couleur d'une fiche de paie, gardaient la tête haute et le regard droit, comme moi. On s'en foutait bien de poireauter à Pôle emploi parmi les autres chômeurs. Pas d'orgueil à préserver.

Bref. Pendant que je m'inquiétais pour mes chaussures, Francis avait terminé le chargement et s'apprêtait déjà à repartir. « Au revoir, à samedi ! Et si d'ici là tu vois Caroline, emb... dis-lui bonjour de ma part », ai-je osé. « Je n'y manquerai pas cher ami, m'a répondu Francis avec un sourire rigolard. Allez, à samedi. » Je crois bien qu'il se foutait de ma gueule.

Après son départ, je n'ai pas eu le courage ni l'énergie de me changer. Et, me suis-je dit, foutues pour foutues, autant que j'achève mes pompes en déballant les palettes de « charcuterie fine ». Je me suis donc mis à la tâche. Au milieu des cochonnailles, je suis tombé sur du « surimi saumoné dix bâtonnets » conditionné par lots de cinq : cinquante bâtonnets, donc. Une erreur sans doute. Ça arrivait parfois, mais c'était rare. J'ai eu confirmation de la boulette en vérifiant le bon de livraison : ces vrais-faux « produits de la mer » n'avaient pas leur place entre les tranches de pâté en croûte pistaché. Une étourderie de la part du fournisseur avait conduit à cette erreur d'aiguillage. Je me suis alors souvenu de ce que m'avait dit mon père lors de notre étrange apéritif à son retour du pot de départ du DRH adjoint : « Tu pourrais *emprunter* une ou deux bouteilles à l'hypermarché. Ils te doivent bien ça. » J'ai donc escamoté le paquet de trop. Ce n'était d'ailleurs pas du vol puisqu'il n'aurait pas dû se trouver là et n'appartenait donc pas au magasin. Au mieux, j'aurais pu le renvoyer à l'expéditeur. Mais ça allait entraîner de la paperasse et, surtout, j'avais constaté que sa DLC expirait dans une semaine. Le surimi serait donc arrivé trop tard pour être de nouveau expédié en temps utile vers une grande surface, peut-être la mienne, ce qui aurait constitué un aller-retour aussi inutile qu'ubuesque. Je l'ai carotté, sans vraiment le subtiliser. Et donc, je me suis retrouvé devant le pavillon familial bien sapé – mes Kenzo n'avaient pas trop souffert – avec mes cinquante bâtonnets de surimi saumoné sous le bras. Je me suis demandé ce qui surprendrait le plus ma mère : ce colis tombé du ciel ou mon accoutrement. Je penchais pour la bouffe, tant tout ce qui relève de la cuisine en général et ce qui se mange en particulier avait le don de captiver son attention. Au moins, je n'aurais pas à livrer des explications sur ma tenue. Mais je redoutais le sens aigu du détail que cultive ma sœur. Circonstance aggravante, à midi, tout le monde m'avait vu repartir pour l'hypermarché avec mes fringues habituelles. Sœurette, là encore, allait noter le changement. La perspective de devoir m'expliquer et sur mon déguisement et sur le lot de surimi saumoné me donnait par avance mal à la tête.

C'est ainsi que l'idée m'est venue. Plutôt que de regagner le domicile avec tous ces soucis qui se profilaient, je tenais là une occasion à ne pas manquer ! Un prétexte tout trouvé qui, au premier abord, ne m'avait pas sauté aux yeux. Et si j'allais donner les bâtonnets à la Banque alimentaire ! Ça serait sympa, et d'une ! Ça me permettrait de m'incruster un peu plus dans leur paysage, et de deux ! Je ferais une BA, et de trois ! Je me suis souvenu de l'adresse de la Banque alimentaire inscrite sur le flanc de la camionnette : 14-16, cours Édouard Vaillant. Je connaissais bien le coin, c'était juste derrière le lycée d'enseignement professionnel Maurice-Thorez. Je me suis mis en route. Arrivé sur les lieux, la lumière qui s'échappait du bâtiment m'a rassuré. Il y avait encore du monde. Pas Caroline, hélas, bien sûr, qui devait renifler au fond de son lit, mais ses camarades et compagnons. L'accueil a été chaleureux, bien que ce ne fût pas celui auquel je m'attendais. Après avoir frappé trois-quatre fois sur la porte en fer sans obtenir de réponse, je l'ai poussée et me suis annoncé : « Tiens ! revoilà joli cœur », s'est écrié Francis en m'apercevant. Les trois autres bénévoles (quel aurait pu être leur autre statut ?) qui s'affairaient autour d'une grande table où étaient entassées les victuailles qui venaient tout droit de mon hypermarché ont stoppé net leur manutention pour lever le nez dans ma direction. Là, je me suis senti vraiment con. Mais je ne me suis pas dégonflé et après quelques pas, j'ai mis le surimi saumoné sous les yeux de Francis : « Il y avait aussi ça. J'ai pensé que ça pourrait vous faire plaisir. Je veux dire, vous être utile. » « Alors ça, c'est vraiment sympa. Je ne doute pas que ce mets viendra opportunément agrémenter nos repas de fête », m'a dit Francis sans que je parvienne à savoir s'il était sincère ou s'il se foutait à nouveau de ma gueule. Allez être généreux ! Voilà comment on est remercié ! À vous dégoûter de faire la charité. J'étais en rogne contre Francis mais, encore une fois, n'en ai rien montré.

Avant de regagner le pavillon, je me suis changé dans la voiture. Mieux valait éviter les réflexions de ma sœur. Ça suffisait pour la journée. « Tu rentres encore plus tard que samedi », a-t-elle tout de même trouvé utile de relever à peine avais-je franchi le paillasson. « Ce n'est pas grave, a tempéré ma mère. On va bien devoir s'y faire. Nous t'avons attendu pour passer à table. »

9

Au cours des jours qui ont suivi, il ne s'est rien produit de notable. Ma sœur a cependant commencé à sérieusement déprimer. Parce que ça se passait mal au travail. Justement parce qu'il n'y avait pas assez de travail. Denise, la patronne de l'auto-école, venait de se voir imposer par son médecin traitant un mi-temps thérapeutique, un « MTT », nous avait expliqué sœurette un soir à table. Motif : mal de dos. « Plein le dos », ai-je traduit et corrigé. La pauvre dame se faisait aussi des cheveux blancs pour son fils qui venait d'écoper d'une peine de travail d'intérêt général, un « TIG », assortie d'une suspension de permis de conduire (un comble !) après avoir perdu le contrôle de son véhicule un samedi soir et s'être garé sur trois vélos qu'il avait auparavant emboutis histoire de faire de la place. Certes, il sortait de l'Amnésya, mais ce n'était pas une excuse, avait tranché le juge. Or, dans la région, être privé de la possibilité de conduire, c'était déjà une peine en soi. Une condamnation qui mène à l'immobilisme et à l'oisiveté quand ce n'est pas au chômage. Pour tenter de s'extirper de notre trou, encore fallait-il pouvoir se déplacer, passer son permis, acheter une voiture. Bref, conduire. Elle en savait quelque chose madame Denise, vu qu'avec son mari, c'était son gagne-pain. Depuis quelque temps, elle constatait une baisse de la fréquentation de l'auto-école, ce qu'avait subodoré ma sœur. Ce n'est pas le nombre de clients potentiels qui faisait défaut, mais les inscriptions qui étaient en chute libre. Comme ça, sans explication. Enfin, elle en avait bien une, Denise. Une intuition, presque un soupçon qu'elle avait confié à son associé et à ma sœur. À en croire Denise, pas mal de jeunes en âge de passer le permis rechignaient au motif que « ça coûte des sous, et de trop ». Pourtant, elle en avait repéré quelques-uns qui, sans être passés par l'agence Michel & Denise, prenaient le volant. Elle en était sûre. Elle les avait vus. Surtout des jeunes du lycée d'enseignement professionnel Maurice-Thorez. Ceux-là roulaient « sans permis, parce qu'ils ne peuvent pas se le payer mais ne peuvent pas non plus se passer de voiture ». Certes, elle n'avait pas de preuve, mais cela expliquait pour partie tout au moins et toujours selon elle la baisse vertigineuse du chiffre d'affaires. Et voilà son fils suspendu de permis pour six mois. Une sacrée publicité dont elle se serait bien passée. Résultat des courses, Denise était en « MTT » à cause d'un « TIG », d'un mal de dos et d'une mauvaise passe financière bien partie pour durer.

Tout cela préoccupait ma sœur au plus haut point. Elle nous racontait les malheurs de Denise qui allaient, à l'écouter, devenir les siens :

– Vous allez voir, si ça continue, c'est moi qu'ils vont mettre à mi-temps pour faire des économies. Ça risque de me rendre malade. Comme ça, entre le mi-temps économique qu'on m'imposerait et le mi-temps thérapeutique qu'on me prescrirait, je n'aurais plus du tout de travail. Ça, je ne le supporterais pas. J'en crèverais. Je préférerais en crever.

Ma sœur était dans tous ses états, paniquée et, m'a-t-il semblé, plus très cohérente.

– Allons, tu exagères, tu dramatises, ai-je tenté de la raisonner et de la rassurer.

Mon père est venu à ma rescousse, à moins que ce ne soit à celle de ma sœur :

– C'est vrai. Tu l'as toujours ton travail.

– Ah oui ? Et pour combien de temps ? s'est-elle mise à crier. Le chômage technique tu connais ? C'est pas fait pour les chiens. Les chiens qui souffrent, eux au moins, on les abat.

Sur quoi ma sœur s'est levée, a quitté la table et est montée dans sa chambre, nous laissant seuls, ma mère, mon père et moi, devant nos tranches de rôti de porc champignons-pommes de terre. Papa et moi avons échangé un regard : « Elle est en train de devenir folle », pensait-il ; « Elle devient irritable », me disais-je ; « Elle n'a pas tout à fait tort », avons-nous conclu tous deux intérieurement. Ma mère a rompu le silence :

– Bon, je vais remiser son assiette. Comme ça, elle pourra terminer son repas plus tard si elle le souhaite. De toute façon, le rôti, c'est aussi bon froid avec de la mayonnaise.

10

Nos vies avaient repris le cours de leur banalité rassurante, en apparence : j'allais et venais de l'hypermarché, mon père de son bureau de l'usine, ma mère de la cuisine à la salle à manger et ma sœur de l'agence d'auto-école en boudant le matin et en tirant la gueule le soir. Cela aurait pu être pire et c'était supportable. Mais nous redoutions tous l'incident, l'étincelle qui à tout moment pouvait embraser l'atmosphère familiale, la changer en boule de feu.

Mon père, un soir, a involontairement appuyé sur l'interrupteur, ne provoquant pas encore l'explosion, mais un début d'incendie. « Tiens, avait-il dit à ma mère, je suis passé à la Maison de la presse et je t'ai acheté une revue. » Sur le hors-série du magazine féminin s'étalait ce titre en caractères gras : « Conserves : faites-les vous-mêmes. » Tu parles d'un numéro collector ! Maman est d'abord restée sans voix avant d'exploser : « C'est bien dommage que t'aies jamais pu nous payer une maison avec cheminée grâce à ton salaire, j'aurais pu faire du feu avec ton torchon ! » Ça commençait fort et ça a continué sur ce rythme soutenu durant une bonne demi-heure. Pour résumer, maman clamait qu'elle n'était pas une « feignasse » qui « fait de la boîte » et que « de toute façon » nous étions tous une « bande d'ingrats » au motif que nous n'avons jamais su apprécier « tous les sacrifices » qu'elle faisait pour nous « depuis des années ». Et d'ailleurs, puisque c'était comme ça, elle renonçait à nous servir son civet de lièvre et nous n'avions qu'à « aller au restaurant ».

Mon père semblait sincèrement désolé et surtout meurtri. Mais je suis le seul à avoir perçu la deuxième partie des sentiments qu'il gardait pour lui ce soir-là. Ma mère, toute à la scène de ménage qu'elle se faisait toute seule, s'était enfermée dans la cuisine. Tout ce tintouin avait à peine détourné ma sœur de sa bouderie désormais quotidienne qu'elle est allée poursuivre dans sa chambre. Les femmes du pavillon n'ont rien vu, ou rien voulu voir. Aucune ne s'est demandé pourquoi papa s'était arrêté chez le marchand de journaux, en dépit du caractère exceptionnel, pour ne pas dire inédit, de ce comportement. Moi, je l'ai remarqué du premier coup d'œil, le pourquoi. Il résidait dans le titre du journal que mon père avait posé sur la table, bien en évidence : *Carrières et emplois*. Pas besoin d'être grand clerc pour comprendre. À son âge, c'était à lui de chasser les chasseurs de têtes. À lui de démarcher les DRH. À lui de quémander du travail. On n'allait pas venir le chercher, ni lui faciliter la tâche et ses chances étaient minces.

C'est ce jour-là que j'ai compris. La préretraite qu'il disait tant redouter, on l'y avait déjà mis. Il ne nous avait rien dit. Ce devait être récent, quelques jours tout au plus qu'il devait avoir passés à rassembler ses affaires au bureau avant de le quitter définitivement. Sans doute voulait-il nous l'annoncer ce soir avec ses faux projets de reconversion professionnelle dont il savait bien qu'ils n'aboutiraient pas. *Carrières et emplois*, je connaissais bien. Et pour cause, plusieurs exemplaires étaient en libre consultation à Pôle emploi. Je me souvenais des costumes usés de ceux qui les compulsaient. J'étais triste pour mon père, ma mère pleurait sur son civet et ma sœur fumait sa vingt-sixième cigarette de la journée derrière la porte fermée de sa chambre. Ce soir-là, nous nous sommes couchés sans dîner.

11

Drame familial. Le mystère des quadruples pendus s'épaissit

Par bonheur pour son auteur, toujours le même, je n'ai pas non plus pu réagir à cet article qui nous était consacré. Le titre n'est déjà pas triste et le contenu est à l'avenant. En résumé, il ne sait rien, se perd en conjectures et prétend justifier son manque d'information crasse par les atermoiements des limiers de la gendarmerie qui n'ont toujours pas retrouvé notre lettre. Par conséquent, il en découle... que ça tourne en rond. Lorsqu'un journaliste ne sait rien, deux options s'offrent à lui : il imagine s'il a un peu d'imagination ou il brode en tirant à la ligne.

Hésitant entre les deux, l'Albert Londres de service alterne hypothèses fumeuses et conditionnels prudents. Résultat : un salmigondis...

Pour les gendarmes, la « recherche des causes de la mort » s'avérait, il est vrai, plus épineuse que prévu. Si, à l'adage cher à certains avocats pénalistes pour lesquels « trop de preuves tue la preuve », là, dans notre affaire, c'est le manque d'indices qui nourrissait la perplexité des enquêteurs. « Intervention extérieure », « Manipulation mentale », « Suggestion morbide instillée au sein de la cellule familiale par un tiers » : tout était envisagé. Tout ça pour chercher un coupable. Comme si nous ne nous suffisions pas à notre propre malheur. Incompréhensible, trop glauque. Il fallait un coupable. Forcément un coupable.

Le hic, pour les pandores, c'est donc qu'ils n'avaient rien à se mettre sous la dent. Pas l'ombre du début du quart de la moitié d'une piste. À en croire le torchon local, leur chef, toujours désigné comme le « lieutenant-colonel Benoît », butait sur un obstacle invisible contre lequel il se cognait et qu'il nommait « l'absence d'explications ».

Elle ne devait pas être drôle, la vie du galonné. Parfois, le sort s'acharne. Monsieur Benoît, donc, ci-devant lieutenant-colonel, avait eu la bonne intuition d'embrasser la carrière militaire. Du coup, son esprit carré – qui aurait pu être tenu pour simpliste – était considéré, du moins par ses supérieurs, comme la qualité d'un homme « rigoureux » qui « ferme toutes les portes avant de sortir d'une pièce » (ce qui est un exploit digne du mystère de la chambre jaune mais, question métaphore, les gendarmes ne sont pas des cracks). Bref, traduction en langage civil : Benoît envisageait une situation sous tous les angles, prenait en compte toutes les possibilités, même les plus inimaginables ou les plus absurdes, avant de passer à une autre hypothèse et ainsi de suite. Jusqu'à ce qu'il parvienne à une conclusion unique, logique, indubitable, point final de ses rapports d'enquête rédigés sans style mais avec le souci de l'exhaustivité. Des modèles du genre ! C'est ainsi que « colonel » s'est accolé au lieutenant du sieur Benoît : point culminant d'une carrière sans brio, mais appliquée et besogneuse. Reste que le « lieut-co Ben », comme l'appelaient ses collègues en son absence, ne voulait pas que cet aboutissement soit suivi de points de suspension, retenus en l'air. Cette enquête, il voulait la « boucler ». Or, avec nous, il était tombé sur un os. Notre affaire lui causait bien du tracas et des nuits blanches. Parce qu'il n'y comprenait rien et ne pouvait se résoudre à la perspective de remettre un rapport – c'eût été le premier de sa carrière sous l'uniforme – ponctué de zones d'ombre, de pans obscurs, n'aboutissant à aucune conclusion simple et évidente, comme il les affectionnait. Pas d'indices, pas d'explications, pas de vérité : ça commençait à l'agacer sérieusement, Benoît.

Si par chance il avait eu notre lettre sous la main. C'était plié, logique « in-du-bi-ta-ble » (c'était le qualificatif favori de ses rapports). Mais là, rien ou si peu. Le « mystère du drame familial », l'« énigme des pendus » demeuraient inexpliqués. Pis, inexplicables. Achever sa carrière sur un tel échec, un véritable affront, lui était insupportable.

Elle avait débuté au bas de l'échelle, sa carrière. Recalé de la Royale dès son stage au sein de la prestigieuse base de Marine nationale d'Hourtin (Gironde) pour cause de déficience de l'acuité visuelle, il avait troqué le béret à pompon rouge pour le képi bleu sombre. Direction la gendarmerie et la « surveillance et sécurisation » des routes de notre bled. Trois ans à passer ses samedis soirs jusqu'à une heure avancée de la nuit, embusqué au sortir de l'Amnésya. Trois ans à arrêter les voitures des jeunes du coin, à contrôler leurs permis (quand ils en avaient), leur intimer de souffler dans le ballon pour la forme, se faire insulter par les mêmes, voire recueillir leur dégueulis sur ses bottes réglementaires.

Eu égard à ses bons résultats en matière de sécurité routière et ayant contribué par son action déterminée à amortir le coût des trois cellules de dégrisement créées au sein de la caserne de gendarmerie locale, Benoît était parvenu à se hisser jusqu'à la prestigieuse « Section de recherche », la « SR », après ces trois longues années de purgatoire. Désormais, il allait enfin pouvoir donner toute la mesure de ses talents, se révéler, sans qu'on le brime parce qu'il avait des lunettes sur le pif. Merde à la Royale ! Et force est de constater qu'il avait depuis collectionné quelques succès. Trois homicides involontaires résolus plus tard (dont deux trouvaient leur origine dans des embrouilles nées à l'Amnésya, ce qui avait un peu aidé vu qu'il connaissait bien les lieux, et le patron, et la clientèle), Benoît était propulsé lieutenant-colonel et dirigeait enfin la « SR ».

Il n'avait pas vu s'écouler les quinze années suivantes. Elles avaient passé, lui semblait-il, aussi vite qu'un TGV, inconnu dans notre région. Ces quinze piges avaient même été ponctuées de beaux succès. Comme le jour où, au terme de neuf mois d'enquête, il avait passé les pinces à une bande d'insaisissables Gipsies qui s'était spécialisée dans le vol de métaux en tous genres, certes moins rémunérateur que le trafic de stupéfiants mais pas mal payé quand même et, surtout, beaucoup moins risqué devant les tribunaux. Re-article sur le lieutenant-colonel dans la presse locale.

Donc, Benoît, avec ses tempes grisonnantes, sa barrette au revers du veston et sa monture de lunettes métallique, il en imposait. Impensable qu'il puisse foirer sa dernière affaire, la nôtre. Ça prenait sur ses heures de sommeil : pourquoi, à cause de quoi... Un peu plus, et il aurait bien été capable de s'en retourner à Hourtin pour se foutre dans le lac, le « lieut-co ». Tout un symbole !

Benoît a donc sorti la grosse artillerie. Trois adjoints étaient réquisitionnés à plein temps pour plancher sur notre cas, notre suicide (ou « nos suicides », le chef n'étant pas fixé sur la pertinence de l'usage du singulier). Enfin, trois gendarmes, pas jour et nuit quand même. Deux rien que sur le dossier et un « équivalent temps plein » en renfort. Méticuleux comme un maître d'hôtel et scrupuleux comme un notaire, Benoît a entrepris de « fermer les portes ».

L'expertise médico-légale avait conclu à un « suicide collectif à huis clos ». Une mort « quasi-simultanée » provoquée par une « asphyxie consécutive à l'étranglement d'une pendaison ». Jusque-là, pas besoin d'avoir fait médecine, même le journaliste l'avait compris. Les corps ne présentaient « aucune trace de traumatisme externe ou interne » et « l'analyse toxicologique » s'était révélée négative, comme était constatée « l'absence de prise d'alcool ». Bon, d'accord. « Mais pourquoi ? bordel ! » se désespérait Benoît. Il avait passé au crible nos derniers jours de vivants : emplois du temps, appels téléphoniques passés ou reçus depuis les appareils fixes et portables...

En désespoir de cause, le gendarme avait même eu recours à un « expert psychiatre », « expert auprès de la cour d'appel » de la capitale, certifié, et « expert des manipulations mentales et emprises sectaires », autoproclamé. Cette vedette était censée « apporter ses lumières » sur l'insondable mystère de notre mort (et accessoirement permettre à Benoît de recouvrer le sommeil). Chou blanc pour « l'expert » multicartes. Nous n'avions pas passé de coup de fil à une pseudo-Église évangéliste avant de nous cravater, ni été en contact avec une quelconque organisation sectaire. D'après les dépositions de nos attentifs voisins et de madame Bin en particulier, mon père avait même viré trois mormons boutonneux avec un badge au revers de leurs blazers lorsqu'ils avaient sonné à notre porte il y a un an de ça.

Bref, exit la manipulation mentale. Pas le genre de la maison. La même consternante impasse s'imposait après examen de nos comptes bancaires respectifs : celui, commun, de mes parents, celui de ma sœur et le mien, tous tenus à la même agence, ce qui avait facilité les choses. Aucun mouvement de fonds suspect, retrait ou somme créditée sortant de l'ordinaire. Pas la moindre trace de dette, non plus. Quant à la « scène » (qui ne pouvait pas être qualifiée de « crime ») où nos corps avaient été découverts, accrochés à la poutre de la salle à manger, il n'y avait rien à signaler. Aucune trace suspecte, hormis celles laissées par une mystérieuse paire de chaussons, bien vite identifiés comme ceux de cette vieille chouette de madame Bin. Traces de pas qui, d'ailleurs, attestaient qu'elle nous avait tourné autour, la voyeuse. Ses empreintes digitales avaient aussi été retrouvées sur le buffet Henri II, avec les nôtres et à l'exclusion de toute autre. « Ben oui, c'est normal, j'étais sous le choc. Alors je me suis appuyée au buffet », a précisé la mère Bin au lieutenant-colonel Benoît, ce qui ne l'avait pas trop avancé. Ça commençait à s'agiter sévère sous le képi.

Et toujours pas de trace d'une lettre. De notre lettre.

12

Les gendarmes savaient donc à peu près tout de nos vies sans histoires, sans relief et routinières. Pour eux – et ils n'avaient pas tort –, elles se résumaient à une morne succession de boulot-dodo. Pas de métro puisqu'il n'y en a pas dans notre ville, ni de restos puisque ma mère tenait à son rôle du cuistot et qu'elle ne voyait pas l'intérêt de sortir dépenser de l'argent pour des plats présentés comme « maison » : « Si c'est comme à la maison, autant y rester. » Logique et ce point ne souffrait aucune discussion. Pourtant, nous nous accordions des distractions. De petites échappées de quelques jours qui, pour nous, tenaient lieu de récréations, de congés sans être de véritables vacances. Les vacances, d'ailleurs, mon père n'aimait pas ça. « Y partir », lui semblait presque inconcevable. D'après lui, elles étaient « une insulte au travail », « à ceux qui n'en ont pas » (de travail) et par conséquent « ne peuvent pas en prendre » (de vacances). Là encore, c'était logique, on n'avait pas à en discuter. Mais, parce que le paternel considérait quand même « qu'on n'est pas des machines » ou « qu'il faut bien reposer la mécanique de temps en temps », il s'offrait parfois, et à nous par la même occasion, de petites escapades : deux ou trois jours par-ci par-là qu'il organisait avec soin. Il établissait d'abord l'itinéraire précis à suivre en voiture, calculait les distances, les temps de parcours, repérait les petits hôtels où nous nous accordions une « halte pour la soirée et la nuit ». Le point le plus délicat se révélait la sélection des restaurants dans lesquels nous allions bien être contraints de nous arrêter. C'était assez exceptionnel pour que le choix s'établisse en étroite concertation avec ma mère qui privilégiait des gargotes servant exclusivement une cuisine régionale : « Puisqu'on ne peut pas y couper, autant que ça serve à quelque chose et que j'apprenne des recettes que je ne connais pas. C'est ça ou je prépare des paniers-repas. » Même pour plusieurs jours entiers, ça ne lui faisait pas peur. Ces petites excursions étaient rares, pas très lointaines, toujours hexagonales, donc jamais exotiques, mais bienvenues quand même.

En 2004, mon père nous avait peaufiné un programme de trois jours pour aller contempler le viaduc de Millau dont la construction s'achevait. Presque une journée pour l'aller et autant pour le retour, ce qui nous laissait un jour pour admirer l'ouvrage d'art. Il fallait « ab-so-lument » y être le 28 mai, au plus tard un peu avant 14h : le moment exact – ce fut finalement 14h12 – de la jonction (ou du « clavage » pour reprendre le terme jargonneux du métier) de la partie nord et de la partie sud du « tablier » du pont, au-dessus du Tarn. Bref, les ingénieurs allaient assembler les deux bouts, relier le tout pour que les bagnoles puissent circuler dessus. Nous avons assisté à l'événement en direct, tous les quatre assis dans l'herbe de l'aire de repos de Cap de Coste, à Brunas, en sortant de Millau par la départementale 992, au-dessus de la commune de Creissels. Je ne suis pas près d'oublier le trajet car les lacets de la petite route qui mène au Larzac m'avaient donné mal au cœur. Un coup à gauche, un coup à droite : beurk! j'avais bien failli rendre mon petit déjeuner. Mais le spectacle valait vraiment le déplacement et mes dérangements gastriques. Il avait de la gueule, « l'ouvrage d'art multihaubané » : 2460 mètres de long,

7 piles, 154 haubans pour soutenir le tablier accroché aux pylônes, 205 000 tonnes de béton, 14 000 de ferraille et un point culminant à 343 mètres, soit 20 de plus que la tour Eiffel que nous n'avons jamais vue. Tout ça devait durer 120 ans et « relier le causse Rouge au causse du Larzac », un objectif qui me semblait tout de même un peu dérisoire au regard des chiffres. Je les avais glanés dans un article de journal que j'avais découpé et apporté avec nous, en prévoyant la lecture à haute voix pendant que nous allions nous ébahir devant « Le pont du Gard du XXIe siècle », c'était le titre de l'article. J'avais eu une bonne idée : cette déclamation avait intelligemment accompagné le déjeuner que nous avait concocté ma mère – des sandwichs au rôti de porc suivis d'une tarte salée puis d'un far breton – et m'en avait dispensé (j'avais encore un peu envie de vomir).

L'année suivante, à peu près à la même époque, nous avions changé de région mais étions demeurés fidèles au tourisme industriel. Cette fois, il s'était agi d'être éberlués par les prouesses de l'avion A380 d'Airbus. Direction l'aéroport de Blagnac dans la banlieue toulousaine. Il fallait « ab-so-lu-ment » y être le 7 avril, au plus tard un peu avant 10 h 30 : le moment exact – ce fut effectivement 10 h 29 – du décollage du gigantesque coucou pour son « vol inaugural d'exhibition ». Inutile de préciser que le bel oiseau nous avait coupé le souffle en décrivant des cercles parfaits et des virages sur l'aile. Il en imposait, le gros porteur : 73 mètres de long, 79,80 d'envergure, 24,10 de hauteur et 562 tonnes à pleine charge réparties sur 22 roues, dont 20 pour le train principal et 2 pour le train avant. Telles étaient les caractéristiques décrites dans un article consacré au « Géant des airs du XXIe siècle » (c'était le titre) dont j'avais donné lecture durant le pique-nique-spectacle familial : sandwichs au poulet suivis d'une salade variée et d'une tarte aux pommes. Cette fois, j'avais pu manger de tout, la contemplation des acrobaties du gros porteur ne m'ayant pas provoqué de nausées. Je me demandais quand même si la démonstration n'aurait pas pu être plus majestueuse encore si l'avion avait tournoyé au-dessus du viaduc de Millau. Ma mère, elle, était plongée dans un abîme de perplexité : « Non mais vous vous rendez compte? Préparer et servir des repas pour huit cents passagers... Ils ont dû prévoir de la place pour les cuisines des première classe et pour les chauffe-plats des classes économiques. Mais quand même... » Toujours le sens pratique, ma mère.

Le « plus-gros-avion-commercial-du-monde » avait aussi inspiré mon père. Après avoir contemplé en silence, nous avons dû partager son admiration tout au long du trajet du retour vers le pavillon. Je passe sur les « performances extraordinaires », le « défi technique et technologique » qui permettait notamment, par une astucieuse répartition du poids, d'envisager un atterrissage sur n'importe quelle piste de n'importe quel aéroport du globe sans qu'il soit besoin de les renforcer. Agrippé au volant dont je suis certain qu'il rêvait qu'il se change en gouvernail d'A380, papa avait conclu sa dithyrambe par cette décision : « Je vais acheter des actions EADS. » Non pas qu'il voulait spéculer. Ce n'était pas son genre. Non, il concevait cet investissement comme un « hommage » au savoir-faire des ingénieurs et à celui des ouvriers qui avaient planché sur l'appareil, sa conception, sa fabrication et son assemblage. Et si ça rapportait, tant mieux. Ce serait un « plus ». Le symbolique et le rentable, en somme. Derrière ce patriotisme économico-industriel, il y avait aussi, je crois, une autre motivation qu'il ne nous aurait jamais avouée : avec ces titres EADS, mon père s'offrait – et nous offrait – une toute petite partie de l'engin dont nous ne pourrions jamais nous payer des billets, fût-ce en classe éco avec les plateaux-repas réchauffés au micro-ondes.

Las, les intuitions boursicotières de mon père avaient la fâcheuse tendance à se terminer en « crash ». La cause ne faisait guère de doute : erreur humaine, la sienne. Lorsque les problèmes de câblage de l'A380, compliquant grandement l'assemblage du zinc et obérant ses premières livraisons aux compagnies aériennes, ont été portés à la connaissance du public en général et des petits actionnaires en particulier, l'action EADS a plongé. Et mon père avec. « Ce sera pour vous plus tard », nous avait-il confié, à ma sœur et à moi, en parlant de son portefeuille boursier. Tu parles d'une dote ! Avec ça, si sœurette avait eu des velléités de convoler (ce qui à ma connaissance ne lui a jamais traversé l'esprit), elle aurait été bonne pour le broder elle-même, son trousseau !

Quand le banquier a téléphoné à mon père pour s'enquérir des gesticulations désespérées qu'il envisageait devant la chute abyssale de ses EADS, mon père a sèchement rétorqué : « Rien. On ne bouge pas. Je ne bouge pas. Je ne vends rien. Tant qu'on n'a pas vendu, on n'a rien perdu, non ? » J'aime bien les sophismes, mais là, quand même... Donc on a tout gardé, rien vendu et papa, pas mal perdu.

Les précédents coups de flair de mon père concernant la Bourse auraient dû lui mettre la puce à l'oreille, le rendre méfiant. Mais non ! Lui n'était pas là pour jouer au spéculateur mais pour « soutenir nos belles réalisations industrielles ». Il avait surtout le don de se mettre dans la panade, oui ! Les revers de fortune à répétition n'ébranlaient en rien l'indéfectible – pour ne pas dire aveugle – confiance de ma mère dans le sens des affaires de son mari « qui sait bien mieux que nous ce qu'il fait et ce qu'il a à faire », n'étant « pas comptable pour rien ». Soit. Pourtant, avant les EADS, mon père avait placé une partie de la tirelire conjugale dans des parts Eurotunnel. Un génie de la finance, j'vous dis ! Lors de l'inauguration du Shuttle qui reliait le Vieux Continent à la Perfide Albion, l'action avait bondi jusqu'à cinq cents francs de l'époque. Inévitable et lucide coup de fil du banquier : « Qu'est-ce qu'on fait ? On vend ? Ça ne montera pas plus haut. Etc. » Réponse tout aussi attendue et prévisible du paternel : « On garde ! » Bilan, des années plus tard, mon père était encore l'heureux titulaire d'un joli paquet d'Eurotunnel qui affichait fièrement quarante centimes d'euro pièce. Mais, « tant qu'on n'a pas vendu »...

« L'espoir fait vivre », à en croire le dicton populaire. Le principe de réalité, lui, peut conduire, un jour, à monter sur les chaises de la salle à manger assorties au buffet.

13

Lorsque j'ai revu Caroline, elle portait encore par intermittence un mouchoir en papier à son nez, mais semblait être sur le chemin de la guérison.

– Francis m'a dit pour ton geste : le paquet de surimi que tu as apporté à la Banque alimentaire. C'est gentil à toi.

J'étais presque embarrassé par ce petit compliment. Peut-être parce qu'il venait d'elle.

– Il n'y a pas de quoi. Tu sais, ce n'est pas grand-chose.

J'avais l'impression que la nuit tombait de plus en plus tôt. Francis transbahutait des laitages et des féculents vers la camionnette et j'étais là, à conter fleurette sur le parking « livraisons » du supermarché. Il y avait plus romantique et je me trouvais un peu ridicule.

– Je vais vous donner un coup de main. Il y a pas mal de choses aujourd'hui et c'est lourd. Si vous voulez, je peux vous accompagner pour aider à décharger, ai-je offert au risque d'en faire trop.

– C'est pas de refus, a répondu Caroline comme si ma proposition était naturelle. Toutes les bonnes volontés sont bienvenues. Et en ce moment, c'est pas le boulot qui manque.

– À cause des fêtes qui approchent ? ai-je stupidement demandé, comme ça, sans réfléchir.

– Non, à cause de l'hiver, du froid tout simplement, a-t-elle corrigé d'une voix blanche, le regard dans le vide, presque triste.

– Tu sais bien, a ajouté Francis : « La misère est moins pénible au soleil. » Alors quand il caille, les pauvres souffrent un peu plus. La demande augmente.

Là, je me suis senti idiot.

– Oui, je ne savais pas mais c'est logique. Vous voulez boire un café ? J'ai de l'instantané dans mon bureau. Enfin, dans le local qui me sert de bureau, ai-je proposé pour tenter de me rattraper.

– Riche idée ! s'est enthousiasmé Francis. Mais à cette heure, je militerais plutôt pour une boisson moins chaude quoique plus revigorante. Allez-y, je vous rejoins.

Caroline m'a souri :

– Je te suis. C'est par où ?

Nous avons traversé les réserves, cheminant entre les palettes, pour parvenir à mon local. Je n'avais que deux chaises. J'ai avancé celle que j'utilisais d'habitude, la plus confortable, pour Caroline, réservé l'autre pour Francis et me suis emparé d'un tabouret pour mes fesses. Mon bureau était encombré de bons de livraisons que j'ai rassemblés en un tas pour libérer de la place.

– Alors, c'est là que tu travailles ? a demandé Caroline, par pure politesse m'a-t-il semblé, pendant que je préparais le café.

– Oui, enfin je suis plutôt dans les réserves, avec les stocks. Ici, c'est surtout pour la paperasse.

– Dis donc, tu ne vois pas souvent la lumière du jour.

Là, je l'ai devinée plus compatissante.

– Non, sauf lorsqu'une livraison arrive.

La grosse voix de Francis nous a interrompus. Il nous interpellait depuis l'autre bout du hangar :

– Vous êtes où ?

– Par là, c'est au fond tout droit, lui a indiqué Caroline comme si elle avait toujours travaillé ici et était familière des lieux.

Son camarade a posé une bouteille de whisky à peine entamée sur la table :

– J'en ai toujours une sous la main. Ça réchauffe, ça fait du bien par où ça passe et ça peut s'avérer bien utile dans certaines occasions. La preuve, s'est-il justifié. J'ai aussi pris ça dans les paquets. Je peux?

Il venait de déposer une barquette de madeleines déjà plus très fraîches près de la bouteille.

– Bien sûr que tu peux, a répondu Caroline avec gentillesse tout en haussant les épaules. Pourquoi tu demandes? On ne leur enlève quand même pas les madeleines de la bouche pour si peu.

J'étais désolé de n'avoir sous la main que deux mugs « Coupe du Monde de football 1982 » ornés de la mascotte imaginée par le pays organisateur : une petite orange ou une grosse clémentine espagnole tenant un ballon dans ses petites mains, et un verre à limonade, mais ça irait bien comme ça. « Quand on reçoit des gens, il faut faire des efforts et les choses bien », m'aurait rappelé ma mère qui se targuait de connaître aussi bien le *Manuel de la parfaite cuisinière* que celui des *bonnes manières et du savoir-vivre* par Nadine de Rothschild.

– Ah oui, 1982, s'est souvenue Caroline en attrapant la tasse. Finale à Madrid le 11 juillet : Italie-RFA. Trois-un pour l'Italie.

Francis et moi avons échangé un regard surpris et, je crois, un peu inquiet. Il a versé une double dose d'alcool dans son grand verre, alors que je formais mille vœux pour que la conversation ne s'engage pas sur le football en particulier, ni même le sport en général, vu que je ne m'y suis jamais intéressé et n'y connaissais rien.

– Ah bon? a lâché Francis.

Ouf!

Comme s'il était chez lui, il a appuyé sur le bouton « marche » de la radio un peu déglinguée qui se trouvait sur le côté du bureau. Un autre Francis, Cabrel, a commencé à nous expliquer qu'on « croyait tout savoir sur l'amour depuis toujours ». Ça m'a étonné, je pensais ce poste TSF HS depuis longtemps. J'ai versé le café clair dans le mug que Caroline me tendait, puis dans le mien, alors que son copain rechargeait déjà son verre à limonade. J'ai craint qu'un silence embarrassant s'installe, même si ça valait encore mieux, pour moi, qu'un échange de vues footballistiques. Mais non, après une lampée, Francis a aussitôt embrayé.

– Tiens? Tu lis Kipling? Je peux voir? a-t-il demandé tout en attrapant le livre que j'avais tenté, sans succès, de dissimuler sous le tas de bons de livraisons, par peur du ridicule. Ah! Des *Histoires comme ça*! Excellent choix – une pause et une nouvelle gorgée –, j'en prescrivais la lecture à mes élèves.

Je n'ai pas compris pourquoi, à ces paroles, Caroline a plongé son nez dont l'extrémité était rougie par l'usage intensif des mouchoirs en papier dans son mug « Coupe du Monde 1982 ».

– Ouais, Kipling ! Faut vraiment pas être très malin ou ne pas l'avoir bien lu pour le cantonner à un auteur pour enfants. Vous saviez que c'était aussi un dessinateur de talent. D'ailleurs, les illustrations des nouvelles de ce bouquin sont de sa main. La légende veut qu'il se soit même laissé aller à quelques croquis exotico-érotiques, style *Livre de la jungle* pour les grands. Mais je n'en ai jamais vu.

Ayant échappé, de justesse, à l'analyse des mérites comparés des équipes de football lors de la coupe du monde 1982, voilà que j'étais embarqué dans des digressions sur la littérature anglo-saxonne postvictorienne. Le sujet ne me mettait pas plus à l'aise mais j'étais reconnaissant à Francis d'affirmer, en creux, que mes lectures n'étaient pas si stupides.

– Je me souviens que j'avais proposé un article sur le sujet à la revue littéraire *La Flèche*, « Joseph Rudyard Kipling ou la comtesse de Ségur au pays des colonies », a repris Francis qui en était à sa quatrième ou cinquième rasade de whisky, je ne comptais plus trop. Mais de là où j'étais, normal qu'ils aient refusé mon texte.

– Arrête avec ça, l'a coupé Caroline, tu te fais du mal. Ça sert à quoi de remuer tout ça?

Quelque chose m'échappait, sans nul doute, et Caroline me tiendrait rigueur de cette curiosité que je n'ai pas pu réfréner :

– Pourquoi ton texte a été refusé? ai-je osé.

– Parce que j'étais en prison, a laissé tomber Francis avec lassitude en se resservant avant de préciser : deux ans et trois mois. C'est dire si j'ai eu le temps de lire. Même des livres que je pensais ne jamais ouvrir de ma vie.

Ex-professeur et ancien taulard. Je commençais à percevoir plus nettement quelques pans de la personnalité et du parcours de mon nouveau copain au pull de montagne. Mais je le regrettais. De curieux, j'avais glissé vers indiscret.

– Tu veux encore du café? ai-je proposé à Caroline cherchant un peu de miséricorde dans son regard.

– On devrait y aller, les gars de la Banque nous attendent.

Francis avait un peu piqué du nez qu'il a péniblement relevé après qu'elle l'eut secoué par la manche :

– Tu dois penser que je suis un pauvre type, a-t-il dit à mon intention. Un gars parti à la dérive dans « l'océan de la vie » et qui préfère la bouteille à la mer. T'as raison. Et je suis sacrément bourré en plus. Tu veux bien conduire, Caro ?

Heureusement que j'avais une certaine expérience de la manutention par obligation professionnelle, comme Caroline avec ses activités caritatives. Sinon, nous n'aurions pas échappé au lumbago en portant plus qu'en accompagnant Francis jusqu'à la Volkswagen pour le hisser à l'arrière.

– Je vais le ramener cours Édouard-Vaillant, il y a un lit de camp là-bas. J'ai l'habitude, il va cuver. En plus, il faut que je décharge.

Caroline s'est installée au volant sur ces paroles et m'a demandé (ou proposé ?) :

– Ça te dit qu'on aille se prendre un verre ? Tous les deux. Après ?

Bien sûr que j'étais partant ! Quelle question ! Et je n'avais pas oublié ma promesse :

– Je te suis en voiture. Je ne vais pas te laisser toute seule avec les paquets. Je vais t'aider.

Je crois bien qu'elle a souri en claquant la portière.

Lorsque nous sommes arrivés à la Banque alimentaire, Francis avait déjà bien entamé sa nuit éthylique, la tête confortablement calée sur les scaroles du supermarché. Nous avons eu plus de peine à le désincarcérer du Combi qu'à l'y faire monter car il s'était coincé le pied gauche entre les boîtes de lentilles de Toulouse. Ça nous a refilé, à Caroline et à moi, un fou rire à réveiller un mort – mais pas Francis et c'était tant mieux pour lui. Une fois les salades, les conserves et le camarade entreposés, elle m'a regardé sans rien dire. J'avais envie de l'embrasser mais j'ai opté pour une question stupide, décidément bien mon genre ce soir-là :

– Ça tient toujours pour ce verre ?

– Bien sûr. Allez, viens.

Caroline avait pris place sur le siège passager de mon auto, dont j'avais poussé le chauffage : il était hors de question qu'elle prenne à nouveau froid.

– Je ne sais pas où on va, mais on y va. Pas à l'Amnésya j'espère.

Caroline avait bien eu raison de me tirer de ma songerie. Sous l'effet conjugué de la torpeur qui envahissait l'habitacle et de l'habitude – qui chez moi est presque une première nature –, je roulais en effet depuis un moment en direction du pavillon familial sans m'en être rendu compte.

– À l'Amnésya ? Non. Pourquoi dis-tu ça ?

– En tout cas, on est sur la route.

Effectivement, on atterrit au night-club si on poursuit après le pavillon, en prolongeant jusqu'à la sortie de la ville, juste avant la rocade. C'est aussi le chemin qui mène au supermarché. Bref, on retournait sur nos pas.

– J'ai bien envie de me soûler, mais pas de décibels. Enfin je dis ça, mais c'est vrai que je n'ai pas dansé depuis longtemps.

Pendant qu'elle soliloquait, je réfléchissais à toute allure à l'endroit où nous pourrions terminer la soirée. Dans cette boîte, c'était exclu. Même plus jeune, je n'avais jamais aimé me trémousser à l'Amnésya. Au pavillon ? même pas la peine d'y penser. Trop personnel, trop intime. Et l'ambiance qui devait y régner, entre ma sœur qui s'enfermait chaque jour un peu plus dans le mutisme et mon père qui traînait sa nouvelle oisiveté forcée, achevait de m'en dissuader. Quant à ma mère, j'imaginais sans peine la scène : « Non mais vraiment ! Ça ne se fait pas ! Tu invites quelqu'un sans m'avoir prévenue, alors que je n'ai rien préparé de spécial et que je n'ai même pas mis le beau service de table. Ce n'est pas convenable pour ton amie. Et moi, je passe pour quoi ? » Un peu toujours la même rengaine, à quelques variantes près. Du coup, le beau service, on ne l'avait pas souvent sorti du buffet, hormis le jour où ma sœur avait été engagée à l'auto-école, et celui où j'avais été embauché au supermarché.

L'heure tournant, je ne voyais plus que le Rendez-vous des amis d'Auguste qui, avec la discothèque, constituait la seule alternative pour les noctambules et les soiffards (souvent les mêmes) de la région. Ça tombait bien, c'était, encore, sur la route. J'avais même le temps de marquer un arrêt au pavillon, histoire de dire à la famille de ne pas s'inquiéter, que pour une fois, je ne dînerais pas en leur compagnie.

– Chez Auguste ? ai-je lancé.

– Ben, oui. Y a rien d'autre, alors...

– Si tu permets, il faut que je m'arrête deux minutes chez moi avant.

– Pas de problème.

Elle n'était pas contrariante, Caroline. J'avais anticipé la très prévisible réaction de maman : « Tu ne restes pas dîner ? C'est dommage, j'avais préparé une soupe pour nous réchauffer et une brandade de morue. » Pas plus que je n'ai pu échapper à la remarque mi-goguenarde mi-narquoise de ma sœur : « Tu rentres de plus en plus tard pour ressortir aussitôt. Il va falloir qu'on s'y habitue, je suppose. » « Laisse-le donc faire ce qu'il a à faire, l'a reprise ma mère. Enfin, ne te tue quand même pas au travail. » Elle ne comprenait pas toujours tout, maman. Encore plus à côté de la plaque, mon père, lui, semblait absent et ne pas avoir suivi les échanges entre les femmes de la maison. « À bientôt », m'a-t-il dit alors que je franchissais le pas de la porte pour rejoindre Caroline qui patientait dans la voiture, dont je n'avais pas coupé le contact pour laisser tourner le radiateur. J'avais bien remarqué que papa avait enfilé sa paire de chaussons, ce qui, à l'heure du dîner, était plutôt inhabituel.

En route donc, direction l'Auguste. Le restaurant (seulement à midi) pub-tabac-loto-PMU arborait depuis maintenant un an environ une banderole « Changement de propriétaire » : on commençait à être au courant. Auguste, nom dudit nouveau proprio, avait rebaptisé l'établissement. C'est ainsi que le Rendez-vous des amis était devenu le Rendez-vous des amis d'Auguste. Un « plus », à n'en pas douter. Les habitués venaient y parachever une cirrhose débutée quelques années plus tôt à l'Amnésya. Il y avait dans ce triste spectacle une forme de logique, mieux qu'une cohérence, une continuité.

Auguste, qui mettait un point d'honneur à se mettre au niveau de ses plus fidèles clients, question boisson, nous a accueillis par un sonore « Salut et bienvenue chez Auguste, les amoureux ! » qui m'a un peu embarrassé. À l'en croire, il ne fallait manquer sous aucun prétexte sa cuvée de beaujolais-village-nouveau qui, cette année, avait le goût de kiwi ou de papaye, je ne sais plus trop. Caroline, elle, a trouvé le bon prétexte : elle aurait préféré que la vinasse ait « un goût de raisin » et a donc commandé deux pintes de bière, « surtout si elle a quand même un peu le goût de houblon ». Auguste est parti d'un grand éclat de rire, a disparu derrière le comptoir, pour revenir avec nos consommations : « Voilà pour les amoureux ! Et comme c'est "api-aoueur", la prochaine tournée, elle est pour moi. » Familier mais sympa, le patron. Je comprenais qu'il ait plein d'amis, mais je n'étais pas décidé à en intégrer le cercle.

Caroline semblait détendue. Ses reniflements étant devenus insuffisants, elle a sorti un mouchoir en papier tout neuf et s'est excusée avant d'en faire usage. « Bon, a-t-elle dit les voies aériennes une fois dégagées. Pour Francis, je suppose que tu te poses des questions. Je vais te raconter. » Je suis bien obligé de reconnaître que, pour ce qui a suivi, la tournée offerte par Auguste fut la bienvenue, comme la suivante. L'histoire de Francis, c'était du violent. Pas vraiment la bibliothèque rose, quoique. Plutôt une version « pour adultes », un peu comme les dessins olé olé de Kipling dont l'existence, j'avais compris, restait à démontrer. Caroline a débité son récit ponctué de gorgées de bière blonde sans que j'en perde une goutte. J'étais suspendu à ses belles lèvres et j'humectais les miennes de mousse à intervalles réguliers.

Le gars Francis avait été professeur. Ça aussi, j'avais compris. Dans une autre région, ce que j'ignorais, dans une « autre vie », ce dont je me doutais. Prof de français, donc. En collège. Par choix, alors qu'il aurait pu prétendre enseigner la littérature contemporaine en faculté. Il voulait exercer son métier « à la base », en collège parce que « c'est là que tout se joue, peut-être même avant ». À lui, ça lui avait joué des tours. Un sale tour. Un jour de janvier, alors que les cours venaient de reprendre après les vacances de fin d'année, il avait été convoqué par le directeur du collège, en présence du conseiller spécial d'éducation, d'un enseignant délégué syndical et d'un gendarme. Entre ces huit yeux, Francis avait été sommé de s'expliquer quant aux dires de deux de ses élèves. Les deux gamins l'accusaient et se disaient victimes de « gestes déplacés », comme on dit pudiquement au rectorat d'académie de notre région où l'on a une certaine habitude de ce genre d'affaires. Francis avait beau eu nier, clamer qu'il « n'y comprenait rien », n'aurait « jamais fait un truc aussi dégueulasse », les mômes n'en démordaient pas. « C'est très grave ! avait tonné l'uniforme. On dépasse, et de loin, le cadre de l'attentat à la pudeur. Il est question de fellations forcées. Au moins une, imposée à un jeune garçon. Et qui dit fellation dit pénétration. Donc viol. Donc crime ! C'est les assises qui vous guettent, professeur ! » Le directeur du collège n'avait eu d'autre choix que de prononcer une mesure de suspension « à titre conservatoire », avec versement du traitement, mais sans les primes. La rumeur avait fait le reste. Très vite, les gendarmes s'étaient retrouvés avec une collection complète de témoignages présentés comme accablants : ça allait des parents d'élèves qui avaient toujours trouvé « quelque chose de bizarre » chez Francis, à certains de ses collègues qui « là, vraiment, ne pouvaient plus être solidaires ». Bref, cerné et lâché, le prof de français. Il avait raconté à Caroline les interminables interrogatoires où il était passé à la moulinette, « en chialant comme un gosse », m'avait-elle précisé. J'avais du mal à l'imaginer en larmes, le gros gaillard au pull de montagne. Les persiflages devenaient peu à peu vérités et l'affaire est allée crescendo, jusqu'au jour où une élève de troisième s'était spontanément présentée à la gendarmerie accompagnée de ses parents, à la fois effondrés et ivres de rage : leur fille avait été violée par Francis, un peu avant les vacances de Noël, un soir après les cours, dans le local où le prof d'éducation physique et sportive entreposait les ballons de basket. « C'est n'importe quoi ! Je n'ai même pas les clés de ce local », s'était défendu Francis. « On vous accuse d'attouchements et de fellations forcées, maintenant d'un viol, et vous nous parlez serrure de porte ! Ça a très bien pu se passer ailleurs. » Réponse du suspect : « Bande d'enculés ! » Durant le prolongement de sa garde à vue, le domicile de Francis avait été perquisitionné. Bonne pioche ! Il devait maintenant expliquer, « justifier », la présence de « revues pornographiques à caractère homosexuel » bien planquées derrière les rayonnages de sa bibliothèque. « Toujours rien à cacher, monsieur le professeur de français ? » « Je suis homo et alors !? Ce qui d'ailleurs devrait plaider en ma faveur car si j'avais dû violer quelqu'un, j'aurais préféré un garçon, non ? Je donne des cours de remise à niveau à mon domicile, je n'ai pas envie que les gamins tombent là-dessus. » « Nous y voilà. » Commentaire de l'accusé : « Allez vous faire foutre ! » Au collège, le corps enseignant tombait des nues : Francis, on le savait célibataire, mais tous l'imaginaient hétéro, s'il n'avait rien dit, rien avoué de ses penchants contre-nature, c'est bien qu'il avait quelque chose de honteux à dissimuler. « Pour un professeur de français, vous avez un langage fleuri », lui avait fait remarquer le juge d'instruction après lecture des procès-verbaux d'auditions gendarmesques. « On va reprendre tout ça calmement, point par point et depuis le début. » Les dénégations de Francis ne pesaient pas lourd face aux « charges graves et concordantes » constituées des dépositions de trois élèves, d'un emploi du temps plein de trous et de quelques magazines de cul. De pédéraste à pédophile, il n'y avait que quelques syllabes et un pas vite franchi. Francis était ressorti du bureau du magistrat menottes aux poignets, entre deux gendarmes, mis en examen et placé sous mandat de dépôt. Direction le centre de détention. Un peu plus de deux ans de taule entrecoupés de nouvelles auditions pour dire et s'entendre dire les mêmes choses, de confrontations infructueuses, chacun campant sur ses positions. Puis un – beau – jour, au bout de vingt-cinq mois, les trois accusateurs s'étaient subitement rétractés, reconnaissant avoir tout inventé, sans fournir le début d'une quelconque motivation à leurs élucubrations. Dubitatif et incrédule, il avait encore fallu deux mois au juge d'instruction – déjà le troisième à plancher sur ce dossier – avant qu'il se décide à remettre Francis en liberté. Et six autres mois encore avant qu'il prononce un non-lieu. Libre, le prof avait été réintégré dans l'Éducation nationale avec une belle lettre d'excuses du rectorat.

Mais la calomnie avait fait son travail de sape et ses irrémédiables dégâts. Caroline s'est interrompue pour commander une autre bière. J'ai poussé ma pinte à moitié pleine devant elle, j'avais envie de vomir. La réputation de Francis prenait désormais l'aspect d'une poutre vermoulue, foutue. Comme sa vie. Démission, déménagement, changement de région pour atterrir dans la nôtre et redescente aux enfers qui s'accompagnait, cette fois, des descentes de bouteilles de whisky. Voilà comment le professeur de lettres en avait cumulé six : RMI, puis SDF. « Alors tu vois, il n'y a pas que Kipling qui peut en écrire des *histoires comme ça* », avait conclu Caroline.

L'heure tournait. Trop tard pour dîner, d'ailleurs Auguste ne servait que les repas de midi. Caro n'avait pas faim et moi toujours la nausée. Vu mon état de fatigue avancé, je n'étais pas mécontent de ne pas avoir à accomplir quelques dernières manutentions pour aider les amis d'Auguste à se hisser dans leurs véhicules respectifs. Sûr, ce soir, pas mal de points de permis de conduire, voire de permis eux-mêmes, allaient encore valser. Peut-être de nouveaux clients pour sœurette, ai-je songé. J'allais raccompagner Caroline, la déposer devant son domicile.

Et j'étais sûr que nous n'échangerions que peu de mots durant le trajet. J'étais triste. Triste pour Francis bien sûr. « Finalement, il ne s'en est pas sorti. » « Oui, au bout du compte. Il ne fait que survivre », a acquiescé Caroline. J'étais triste, aussi, que nous nous soyons si peu parlé. Caroline ne m'avait rien dit d'elle et je n'avais pas pour habitude de parler de moi. Alors avant qu'il soit question de « nous »...

J'ai quand même tenté ma chance, lâché ma chope pour attraper mon courage à deux mains et me lancer.

– Et toi ? Tu...

– Quoi moi ? Comment ai-je atterri dans ce trou sans y être née ? C'est à mon tour de passer à confesse ?

Caroline s'aperçut de la méchanceté de sa réplique. De sa condescendance. Et, peut-être, aussi, qu'elle impliquait que j'étais un plouc, au mieux un ringard. J'ai bien tenté de masquer ma curiosité apparemment déplacée en plongeant mes yeux et le bout du nez dans la mousse de la bière. Mais c'est vrai, finalement, le cul-terreux, il avait bien envie de savoir : sa vie, son passé. Ne serait-ce que quelques bribes.

Elle a peut-être eu pitié de moi. Comme si

elle venait de percuter avec le Combi Volkswagen un de ces gros oiseaux noirs qui se rassemblent souvent sur le bas-côté de la nationale, à la nuit tombante, en hiver. Sûr qu'un soir, en rentrant du supermarché, j'allais m'en payer un de plein fouet. Moins grave qu'un sanglier – la calandre ne risquait rien –, mais ma culpabilité serait la même. Alors je descendrais de voiture et j'irais caresser le plumage gluant et sentir sous mes doigts les derniers soubresauts de la bête avant qu'elle crève.

Caroline, elle, ne m'a pas passé la main dans les cheveux, qui allaient à coup sûr s'imprégner de l'odeur un peu lourde et humide des Amis d'Auguste. Mais elle m'a tout de même jeté quelques miettes, comme à un piaf subclaquant.

En bon animal reconnaissant, j'ai tout avalé. Je n'ai rien oublié de ce qu'elle m'a lâché.

Sa naissance, à peu près la même année que moi, dans un quartier cossu de la capitale et de parents trop vieux. « Par accident », avait-elle précisé. Chez nous, ici, c'était plutôt le contraire : on naissait par hasard et on mourait souvent par accident.

Bref, elle n'avait « pas été désirée ». C'était il y a longtemps car, ce soir-là, si elle m'avait demandé, si elle avait su...

Mais elle ne m'a rien demandé et a continué à débiter son CV. Juste les grandes lignes, le minimum sans doute pour s'excuser de m'avoir renvoyé à la condition de péquenaud.

Bonne élève et pas trop mauvaise fille unique de parents plus proches des soins palliatifs que du service gériatrique. « Les viocs de Caro », comme aurait sans doute résumé Francis, avaient pallié l'absence d'enfance à coups de billets. « Ils m'ont tout passé. » Très vite, elle avait déguerpi de l'appartement familial et fui le long couloir où pendaient les hures de sangliers et les têtes de biches, reliefs des anciennes parties de chasse du paternel. Bien avant sa naissance, lorsqu'il pouvait encore arquer et massacrer le gibier au calibre 12 ou 16, c'était selon. L'image de Caroline au volant me percutant d'un coup de pare-chocs m'est revenue. Il ne faut jamais sous-estimer l'atavisme.

Sans barguigner, papa avait acheté le studio qu'elle avait dégoté rue Pierre-Leroux, « Paris VIIe, derrière le Bon Marché, pas loin du Lutetia, tu vois ? »

« Oui, oui », ai-je timidement menti pour ne pas aggraver mon statut de cambrousard. Je n'allais quand même pas lui avouer que je n'étais jamais monté à la capitale. Pierre Leroux, donc.

Un illustre inconnu. Un de plus, dont je pouvais supposer qu'il devait la postérité à l'invention de la chicorée, ersatz de café que les parents de Caroline n'avaient sans doute jamais été réduits à consommer en leur temps, vu que, le marché noir, c'est pas fait pour les chiens. Moi en revanche, la chicorée Leroux, j'en manipulais pas mal au supermarché. De grandes boîtes jaune et marron d'un « véritable trésor de bienfaits » qui partaient très bien.

Fifille claquait à tout-va le fric qu'elle ne gagnait pas – une avance à peine anticipée sur l'héritage –, notamment en taxis pour rentrer la nuit à Pierre-Leroux avec l'un ou l'autre de ses camarades, étudiants comme elle en cinéma et audiovisuel. Sans doute, encore, pour exaspérer le paternel, elle avait proclamé sa vocation à devenir « scripte ou monteuse », ce qui, dans l'imaginaire familial, résonnait comme « saltimbanque », au pis comme « entraîneuse » et l'assurait, surtout, de finir au Pôle emploi des intermittents du spectacle.

Et puis, « le petit chat est mort, papa et maman aussi ». Elle ne m'a pas dit de quoi. Probablement parce que c'était de leur âge, un peu de la vieillesse et beaucoup des maladies qui vont avec.

« Voilà, fin de l'histoire. J'en ai eu marre qu'on me tripote les nichons au cinéma Action Écoles durant la rétrospective Georges Franju. » Elle avait vendu Pierre-Leroux et loué l'appartement familial. Tel quel, meublé, avec les trophées des génocides cynégétiques. Caroline vivait de cette rente et cherchait à s'occuper, surtout des autres. D'où la Banque alimentaire, d'où notre trou paumé, d'où Francis. D'où moi ?

« Tu vois, ce n'est pas glorieux et sans grand intérêt. Satisfait quand même ? »

Si je n'avais pas eu envie de vomir la bière, ingurgitée trop vite et en trop grande quantité, j'aurais bien aimé discuter cinéma avec elle. Après tout, ce n'était pas tous les jours que je tombais sur quelqu'un de la partie, du métier ou, du moins, qui s'en était approché.

J'avais loupé la dernière séance, ne restait plus qu'à rentrer.

Dehors, il avait plu, ou neigé.

Mais à cet instant, en regagnant l'auto avec Caro, une autre préoccupation d'ordre pratique me turlupinait : j'avais des moufles, un duffle-coat et une furieuse envie de pisser.

14

Je me souviens très bien de ce petit matin-là. Pour l'heure précoce à laquelle je me rendais au supermarché – 5 h 30 pour être fin prêt à réceptionner les premières livraisons qui allaient débarquer vers six heures –, il régnait une agitation inhabituelle tout au long de la nationale qui sépare le pavillon de mon lieu de travail. Pas un espace laissé vacant sur le bas-côté de la route, dans les deux sens ! Des voitures étaient stationnées tous azimuts. Et ça s'agitait au cul des bagnoles.

J'ai même dû freiner sec pour éviter de percuter de plein fouet deux types qui transbahutaient un frigo au beau milieu de la chaussée. « Hé, connard ! » m'a lancé l'un d'eux pour me remercier de ne pas les avoir écrabouillés. Sur le coup, je me suis demandé si j'avais bien fait de les épargner. Mais, bon, s'ils étaient passés sous mes roues, j'aurais dû m'expliquer auprès des gendarmes. Me justifier alors que j'étais dans mon bon droit : sur route, une voiture est prioritaire sur un réfrigérateur, non? J'ajouterais sur tout appareil électroménager quel qu'il soit et quelles que soient les circonstances. Je suis certain que sœurette, fine connaisseuse du code, ne m'aurait pas contredit sur ce point. Mais allez argumenter auprès des flics du coin. C'eût été du temps perdu et pas mal de paperasse à remplir. Je serais arrivé en retard au boulot. Et je déteste être en retard. Je tiens ça de mes parents : mon père mit un point d'honneur à toujours être ponctuel à son travail et ma mère tenait à ce que nous passions à table à l'heure. Je ne vais pas m'appesantir sur ces deux malpolis, mais ils ont bien failli me mettre en rogne dès potron-minet. Plus loin, j'ai encore croisé un canapé-lit « clic-clac » porté par un jeune couple gringalet et, plus loin encore, une mère de famille qui portait de gros jouets en plastique aux couleurs criardes.

Beaucoup d'agitation, donc. Surtout pour un dimanche. Je me rendais exceptionnellement au travail un dimanche car, en cette période, le supermarché disposait d'une non moins exceptionnelle « autorisation d'ouverture préfectorale ». Les fêtes approchaient. Pour nous autres, chefs de rayon, magasiniers, caissières, Noël rimait avec heures sup. Mais aussi avec bonification de rémunération.

Roulant au pas, je m'approchais de la grande surface en songeant à cette maigre compensation lorsque j'ai été le témoin d'une scène surprenante qui m'a déridé. Une grappe de jeunes passablement éméchés s'engueulait copieusement avec des riverains tombés du lit. Objet de la querelle, si j'ai bien compris, les seconds voulaient garer leurs véhicules sur le parking de l'Amnésya que s'apprêtaient à quitter les premiers, mais pas assez vite à leur goût. Ça gueulait à tout-va : haleine chargée contre dents mal lavées pour cause de réveil précipité. J'ai bien cru que les plus excités des nouveaux arrivants allaient en venir aux mains avec ceux que la nuit éthylique et bruyante n'avait pas complètement ramollis. Au « Connard ! mais tu vas la bouger ta bagnole ! » répondait un « Ta gueule vieux con ! Tu vois pas que ma copine est malade ! » J'ai freiné pour assister à l'algarade, mais ne suis pas descendu de voiture pour jouer au juge de paix.

De par chez nous, *cette contrée solitaire que les autres habitants de la région appellent « là-bas »*

– je ne me souviens plus dans quel roman j'avais lu cette phrase qui m'avait marqué tant elle correspond bien à notre province –, la « grande brocante vide-greniers de Noël » est plus qu'une coutume, une tradition. La mairie a fait planter des panneaux pour l'occasion. Les agents municipaux les disposent aux endroits stratégiques de la commune une fois l'an : « Grande brocante vide-greniers de Noël : le 1er dimanche de décembre. » Le conseil municipal aurait pu opter pour une autre date, préférer les beaux jours pour organiser ce grand déballage. Mais chez nous, « là-bas », bref, ici, il en était ainsi et personne n'aurait songé à contester l'usage.

Ce petit événement était surtout l'occasion pour les habitants du cru de se retrouver. De partager de minuscules moments de convivialité, une journée durant, à se les cailler en trépignant pour se réchauffer les orteils. Tout ça pour quelques euros. Car des pauvres qui vendent à des sans-le-sou, ça ne va jamais bien loin. De surcroît, je l'avais bien constaté, au fil des années, il ne restait plus guère de camelote à écouler. On avait raclé le fond des armoires, débarrassé les débarras, littéralement vidé les greniers. Plus grand-chose à vendre. Du coup, la « grande brocante vide-greniers de Noël » ressemblait de plus en plus à l'étalage d'un fatras d'objets promis au rebut avant le passage de la benne à ordures. Pourtant, chaque année, le rendez-vous remportait un franc succès. Des babioles déglinguées passaient de main en main dans une ambiance bon enfant, les vendeurs toujours surpris et heureux de constater que ce qu'ils ne veulent plus fait le bonheur d'encore plus fauchés qu'eux, à savoir des clients qui, de toute façon, n'auraient pas pu se le payer, même d'occasion. Alors, un peu déglingué ou pas, ça reste une bonne affaire. Pour tout le monde.

Lorsque je suis arrivé aux abords de la grande surface, j'ai remarqué que plusieurs véhicules stationnaient sur le parking « livraisons », là où je gare ma voiture. Il y avait l'Audi du patron, reconnaissable à sa couleur prune métallisée, et trois autres grosses cylindrées, aux robes plus banales et surtout moins ridicules, que je ne connaissais pas. L'une d'elles m'a aussitôt intrigué car sa plaque d'immatriculation s'achevait sur deux chiffres qui n'étaient pas de « là-bas », je veux dire d'ici, les nôtres, mais indiquaient la provenance de la capitale. J'ai pénétré dans les réserves, mon domaine, en proie à une effervescence peu commune. Sans doute le branle-bas de combat dû à l'approche des fêtes, ai-je pensé en regardant ma montre, craignant de m'être mis en retard. Mais non, mon cadran affichait dix rassurantes minutes avant les coups de six heures. Et le tintouin qui s'élevait plus loin, entre les palettes de bouteilles d'eau minérale et celles de packs de lait, semblait ne concerner en rien la logistique des ventes de fin d'année. Sûr, il se passait quelque chose dans mes entrepôts du côté des liquides, sans que j'aie la moindre idée de ce qui pouvait bien se tramer. En m'approchant, j'ai surpris le directeur qui pérorait, arpentant l'allée à grands pas, levant tantôt les bras pour désigner une hauteur, tantôt les écartant comme s'il se vantait d'une miraculeuse et disproportionnée prise de pêche. Trois hommes assistaient à cette gymnastique incongrue. Deux d'entre eux prenaient frénétiquement des notes sur de grands blocs. Le dernier, en costume cravate, se contentait d'écouter en hochant parfois la tête.

« Bon, et là, on mettra les caisses... » À ma vue, mon employeur s'est interrompu, me donnant l'impression gênante que je dérangeais, un peu comme si j'avais déboulé au beau milieu d'un conclave d'affranchis dans l'arrière-salle d'une trattoria. J'allais pour m'excuser quand il m'a devancé : « Ah, c'est vous. Bon, on va vous laisser travailler, les livraisons ne vont pas tarder et c'est une grosse journée aujourd'hui ! De toute façon, nous, on a fini ici. Messieurs, si vous voulez bien me suivre dans mon bureau, nous serons plus à l'aise pour consulter les plans. Allez jeune homme, bonne journée ! » « Merci, bonne journée monsieur le directeur », ai-je poliment répondu. J'ai aussi salué les trois messieurs, mais ils m'avaient déjà tourné le dos et se dirigeaient à la suite du patron vers l'escalier métallique en colimaçon qui mène aux locaux de la direction.

Les heures qui ont suivi se sont écoulées comme toute matinée de réception des marchandises. Cependant nous étions un dimanche et les produits me changeaient de l'ordinaire. Ce jour-là, pas de « litière pour chat en sac grande contenance », ni de « conserve ravioli à l'ancienne pour toute la famille ». En lieu et place, j'ai eu droit à des pots en verre de tarama conditionnés par cent, à des caisses de bouteilles de champagne marque Champs-Élysées, à des bûches viennoises La Marquise surgelées, à des guirlandes électriques Security Safe et à des ballotins de truffes pralinées à disposer en têtes de gondoles sans délai.

Un peu avant midi, j'avais terminé de classer les bordereaux dans les grands classeurs noirs. Mission terminée pour la matinée, et rondement menée encore ! Je disposais d'un bon quart d'heure de rab avant le début officiel de ma pause déjeuner. J'ai décroché le téléphone qui se trouve à côté du poste de radio sur mon petit bureau et composé le numéro du pavillon. Comme je m'y attendais, ma mère a répondu après la cinquième sonnerie, le temps pour elle de s'essuyer les mains dans un torchon et de parcourir les quelques mètres qui la séparaient du salon où se trouve le téléphone. Depuis le temps que je lui proposais d'installer un combiné dans la cuisine ! Mais il paraît que « ce n'est pas sa place »...

« Je suis désolé, maman. J'ai pris beaucoup de retard avec les livraisons, et tu sais, j'ai encore tous les papiers à remplir et à ranger. Donc, je ne vais pas pouvoir... Comment ? Ah, oui, oui, ne t'en fais pas, je mangerai un sandwich... Bien sûr, ça me suffira. Ça ira très bien, ne t'inquiète pas. » Je n'étais pas très fier de ce petit mensonge. Enfin... Un mensonge... Juste un demi, puisque je comptais bien avaler un casse-croûte sur le pouce. Mais je n'avais trouvé que ce prétexte pour justifier mon absence et en profiter pour m'offrir un tour à la « grande brocante vide-greniers de Noël : le 1er dimanche de décembre ».

Cette balade au milieu du déballage me permettrait sans doute de dénicher un cadeau (de Noël justement) pour les parents. Ou tout au moins pour mon père, car sœurette aurait très mal pris que j'achète quelque chose pour maman sans l'avoir consultée au préalable : « Tu sais bien qu'elle va encore nous dire : "Mais les enfants, je n'ai besoin de rien", et toi tu vas te ramener comme toujours avec un livre de cuisine. C'est nul. » Donc, pour éviter le bouquin de recettes et, en prime, de passer pour un « nul », j'attendrais les conseils de ma cadette.

Ma courte virée était aussi et encore un prétexte. Ou plutôt une belle excuse, je trouve l'expression plus jolie. J'espérais et j'attendais de croiser Caroline. Peut-être qu'entre un four micro-ondes crasseux et un canevas au sujet canin encadré, je tomberais sur un stand tenu par la Banque alimentaire. Un petit espace, mis à leur disposition à titre gracieux, ainsi qu'une table pour y déposer les prospectus, histoire de populariser leur action et de récolter quelques fonds pour leur œuvre.

Mais en parcourant la broc en long en large et au pas de charge, j'ai vite déchanté. À première vue, l'association caritative n'était pas de la fête. Pas de trace de la Banque alimentaire, ni de Caroline ou même de Francis. Certes, ils n'avaient rien à vendre. Et de toute façon, ils étaient connus. Les repas gratuits distribués aux pauvres, dans la région, tout le monde connaissait, et redoutait d'avoir à y goûter un jour. Quant à récolter des dons, de l'argent, il ne fallait pas trop y compter puisque chacun était là avant tout pour « faire une bonne affaire » et dépenser le moins possible. Un peu déçu, mon prétexte est donc devenu mon but. Je suis parti à la recherche d'un cadeau pour les parents. Pour papa au moins.

La tâche s'est révélée un tantinet ambitieuse et tournait à la corvée, eu égard à la camelote proposée, indigne, à mon sens, d'un présent, sauf à se satisfaire d'une babiole qui n'est « vraiment pas grand-chose, mais c'est l'intention, etc. »

Les tables de jardin pliables reconverties en présentoirs regorgeaient d'objets disparates et poussiéreux. La console de jeux vidéo Atari remontait à l'époque de *Blade Runner*. Mais pour dix euros, on repartait avec *Space Invaders*, *Out-law* et *Super tennis* en prime. Le même vendeur d'un jour avait dégoté des piles « neuves » 1,5 volt, dénuées de marque, sous emballage d'origine par paquets de quinze : une quantité sans doute nécessaire pour pallier leur probable épuisement au bout d'une heure ou deux. Je me suis arrêté devant un téléphone-fax-répondeur-cafetière en songeant que ça rappellerait sans doute à papa l'ambiance du bureau. Trop peut-être. Comme disait Simone Signoret, *la nostalgie n'est plus ce qu'elle était*, elle me semblait désormais dangereuse. Je devais choisir mon cadeau avec tact et discernement.

Un peu plus loin, j'ai repris espoir. Noyé parmi la foule, un petit bonnet de laine noir s'agitait et tentait de se frayer un passage entre deux badauds dont la carrure l'empêchait d'accéder à un stand, tels deux videurs de l'Amnésya lui interdisant l'entrée de la boîte.

Caroline ! Oui ? Peut-être. Sans doute. Il y avait des chances. Ma chance.

Il est vrai que ces derniers temps, j'avais tendance à la voir un peu partout, Caroline. Pas plus tard que la veille, alors que j'achevais la mise en place du réassort d'apéritifs au rayon alcools – nous écoulons toujours une plus grande quantité de pastis et de vin cuit le samedi après-midi –, la veille, donc, une jeune femme m'avait frôlé alors que j'empilais les cartons vides sur mon diable pour les remiser en réserve. À peine m'étais-je retourné que la silhouette tournait à droite au bout de l'allée en direction des produits hygiène-beauté. Veste en daim marron, jean encore bleu et, là encore, petit bonnet de laine noir. Ce ne pouvait être qu'elle. Plutôt que de courir à sa suite comme un dératé au risque de glisser et de me vautrer sur le carrelage devant les vins du Pays de la Loire, j'ai opté pour le contournement. L'avantage, c'est que je connais la disposition du magasin comme ma poche. Donc, depuis les apéritifs : revenir en arrière, prendre à gauche après l'étagère mexicaine (tortillas et guacamole), dépasser l'allée des rouleaux Sopalin et papiers toilette, encore un coup à gauche et me voilà au rayon hygiène-beauté, sans même avoir eu à hâter le pas. Elle se tenait là, quelques mètres devant moi, accroupie devant les dentifrices premiers prix, ceux que l'on place dans les rayonnages les plus bas. Eucalyptus ou fluor? Je cherchais quelque chose d'un peu spirituel à lui dire concernant ce dilemme cornélien. Pas évident, les goûts et les couleurs… Elle s'est relevée, mon rythme cardiaque s'est accéléré. Mais celle qui venait de s'emparer d'un tube triple action m'était totalement inconnue. Même bonnet, ou à peu près, une veste ressemblante, un jean comme tous les jeans, mais je ne connaissais pas celle qui était dedans. Charmante, un joli minois et pourtant aucun trait commun avec ma Caroline. Je me suis félicité de ne pas avoir couru derrière cette inconnue, d'autant que des collègues auraient pu remarquer mon sprint entre les Caddies et paniquer à l'idée qu'un départ de feu s'était peut-être déclaré dans les réserves.

Cette fois, en remarquant le même bonnet au loin sur la brocante, je ne me suis pas emballé, même si j'étais presque sûr que c'était elle. Pourquoi la chance ne pourrait-elle pas me sourire, après tout ? Droit devant, j'ai fendu l'air et la foule avec. Encore un mètre. Elle était de dos. J'ai voulu ménager un effet de surprise. Rencontre impromptue comme on en voit dans les longs métrages : « Bonjour, vous. » Le bonnet a pivoté pour découvrir le visage d'un jeune africain, vingt ans tout mouillé au plus, petit gabarit, sourire aux dents blanches éclatantes qui se sont desserrées pour me proposer : « Tu veux ? Pas cher, cinq euros », exhibant sous mon nez un gri-gri pendentif en similicuir. Machinalement, je me suis saisi du talisman de pacotille et, décontenancé, déçu, désappointé, bref, tout ce que vous voulez et malheureux comme les pierres, ai mis la main à la poche. Flairant le bon client à l'âme acheteuse, mon nouvel ami m'a entraîné sur son stand. Chez lui, pas de vieilleries déglinguées. Que du neuf : des bracelets multicolores en tissu que l'on attache au poignet en faisant un vœu qui ne manquera pas de se réaliser lorsque les fils casseront d'eux-mêmes, des colliers en coquillages, des bagues en métal blanc, des coussins bigarrés et toute une série d'étendards à l'effigie de Bob Marley, Madonna et Johnny Hallyday, au choix.

J'ai pris congé et le reste de ma visite de la « grande brocante vide-greniers de Noël » a achevé de saper mon moral. Surtout les étals de jouets. Pêle-mêle : des poupées Barbie qui avaient l'âge d'être grand-mères, dont certaines démembrées ; des puzzles de 3000 pièces dont il ne devait rester que 2987 morceaux pour reconstituer un paysage de montagne suisse ; une boîte de Cluedo sans le chandelier ni le pion du colonel Moutarde. Tout ça m'a foutu le cafard. Non pas que ces reliques m'évoquaient une quelconque « jeunesse heureuse » bien que révolue, ni même « l'âge béni de la tendre enfance », gna, gna, gna… Non.

Non, vraiment pas. Ce qui, ce jour-là, aggravait mon état dépressif, latent mais permanent, quotidien donc communicatif – pour ne pas dire contagieux – au reste de la famille, tenait tout entier dans ces joujoux vendus par des plus jeunes que moi. Ils les avaient offerts en leur temps à leurs rejetons conçus bien avant la trentaine, sans trop se poser de questions sur l'avenir – le leur ou celui de cette progéniture précoce –, plus poussés par un mimétisme local que par une irrépressible pulsion reproductrice. « Là-bas », ici, chez nous, on enfante tôt. Parce que l'horloge biologique tourne, certes. Mais aussi parce que toutes les postadolescentes poussent des landaus, par crainte d'être sinon considérées comme des « putes ». Et, aussi, parce que « les allocs, c'est quand même pas fait pour les chiens ». Ça s'appelle « l'argent braguette ». Résultat : des filles-mères tombées amoureuses sur le dance-floor de l'Amnésya, contre l'avis des copines mais « parce qu'il est quand même trop beau ». Le môme entame parfois son existence au CHU avec un Saf, un syndrome d'alcoolisation fœtale – spermatozoïde titubant suivi d'une grossesse arrosée – ou, s'il en réchappe, retourne quand même à l'hosto où il a poussé ses premiers cris car, comme il a continué à brailler, papa, maman ou celui qui fait office de papa, voire tous ensemble, ont un peu trop secoué bébé.

J'exagérais sans doute. Mais même en noircissant le tableau de la sorte, je ne parvenais pas à me consoler de n'avoir pas « fait », moi aussi, un enfant. Ne fût-ce que pour l'élever et en profiter quelques années avant qu'il ne se brise la colonne vertébrale dans le dérapage incontrôlé d'un scooter volé.

Mon mouflet ne souffrira jamais du Saf, n'ira jamais grossir les rangs de Pôle emploi et ne me rapportera pas un centime de la Caf.

Je n'aurai jamais d'enfant. J'en avais, ce jour-là, la certitude.

Pourtant, comme j'eusse aimé baguenauder à la broc bras dessus bras dessous avec Caroline en poussant le landau…

J'allais quitter la « brocante vide-greniers de Noël » ainsi, taciturne, les idées sombres et les mains vides, sans cadeau pour papa, lorsque j'ai marqué l'arrêt devant un dernier petit stand. Un peu à l'écart, un homme d'une cinquantaine d'années et une jeune femme (qui aurait pu être sa fille mais dont il tenait amoureusement la main) proposaient des bouquins : « Livres récents à prix décents », proclamait un écriteau à la calligraphie approximative. Je me suis approché des ouvrages qui semblaient tous flambant neufs, certains étant encore recouverts de leur emballage plastifié. « Offrez un beau livre ! » engageait un autre panonceau peinturluré de la même main peu assurée. Oui, après tout, pourquoi pas, me suis-je dit. Le livre n'est-il pas le meilleur ami de l'homme ? Après le chien. Enfin, je crois.

D'habitude, c'est à ma mère que j'offrais des compilations de recettes qu'elle n'ouvrait jamais. Mais pour mon père, c'était différent. En tant que comptable à l'usine, il avait passé sa vie dans les chiffres, qu'il aimait beaucoup, mais serait peut-être heureux de se mettre aux lettres. Et puis, un « beau livre », ça le changerait de la lecture de *Carrières et emplois*.

Mon intuition s'est révélée bonne conseillère puisque j'eus la bonne fortune d'apercevoir un beau et gros livre. Au bas mot un kilo quatre, un kilo cinq, ai-je constaté en le soupesant. Relié, environ deux cents pages et à vue de nez, vingt-quatre centimètres sur vingt-neuf, rectangulaire. Mais c'est, bien sûr, le sujet – tout entier contenu dans le titre – qui m'avait attiré : « A380 », texte d'Erik Orsenna, photographies de Peter Bialobrzeski, Laurent Monlaü, Isabel Muñoz et Mark Power. Le plus gros avion commercial jamais construit au monde méritait bien qu'on lui consacre un livre. Un hymne au fleuron de notre industrie aéronautique, une ode à ses concepteurs, ingénieurs et ouvriers, une antienne en prose et en images à la « valeur travail » et aux prouesses technologiques. Tout ce qu'affectionnait mon père. De plus, cela lui rappellerait notre virée toulousaine. Le souvenir des vacances, c'est encore les vacances. J'ai su que j'allais acheter le livre avant même de l'ouvrir.

J'ai retourné le volume pour parcourir la quatrième de couverture dont le texte était signé de l'auteur. « Pourquoi des avions plus gros ? » s'interrogeait l'académicien français. « Parce que le ciel devient trop petit », répondait-il. « De plus en plus, les humains bougent. Leur terrain de jeu ne cesse de s'élargir, jusqu'à prendre la dimension de la planète entière. » Il y en a qui ont de la chance, quand même. Car « là-bas », ici, chez nous, notre terrain restait toujours vague. « Les bateaux sont trop lents, de même que les chevaux, les chameaux... » Pertinente remarque. C'est vrai que si nous avons abandonné le fiacre, comme la diligence au Far-West, c'est parce qu'elle se traînait. Et si nous n'avons pas adopté le moyen de locomotion des Bédouins, ce n'est pas, seulement, à cause du climat ou de l'inconfort d'être assis entre deux bosses, mais parce qu'un camélidé, ce n'est pas très véloce, ça prend son temps. « C'est dire si l'air accueille la majorité des voyageurs : ils sont déjà plus d'un milliard et demi chaque année. Une foule immense qui, selon toute vraisemblance, va continuer à s'accroître rapidement. C'est dire si, au-dessus de nos têtes, l'encombrement menace. C'est dire qu'il faut économiser l'espace, en même temps que l'énergie. » C'est dire si mon père allait être ravi.

« C'est combien, le livre sur l'A380 ? » me suis-je enquis auprès du libraire forain. « Quinze euros tout rond au lieu de trente-sept, prix éditeur ! » Trente-sept euros, c'était presque le prix d'une action EADS, avant la dégringolade.

15

C'est en revenant de la « grande brocante vide-greniers de Noël » que j'ai failli me tuer. Ou plus exactement perdre la vie. Sans le vouloir vraiment donc – dans un accident de voiture. J'aurais pu mourir sur le coup. Crac, net, voilà, et on n'en parlait plus. Ça m'aurait évité le Decathlon, le choix des cordes et tout le toutime. Quant à ma famille, à moitié morte de chagrin, elle aurait trouvé dans ce drame de la route un bon prétexte pour se foutre en l'air. De quelle façon ? La corde, le gaz ou l'indigestion fatale ? Je n'en ai aucune idée et m'en serais moqué comme d'une guigne. Voilà une explication et une justification carrée, sans zones d'ombres ni trous noirs, comme les affectionne le lieutenant-colonel Benoît. Bref, tout le monde aurait été satisfait.

Cela a débuté dans l'habitacle. L'air de la ville devenait rance, irrespirable. J'ai bien fermé le petit clapet à gauche du volant, celui qui me crachait de l'air froid venu de l'extérieur en plein visage, en vain. Cette saloperie s'infiltrait de partout. Comme si notre ville entière dégageait une haleine chargée, puante, qui avait décidé de s'insinuer par tous les trous, même ceux de nos pores.

L'absorption de ma seule salive me donnait envie de vomir. Et quelle pestilence !

J'ai levé les yeux au-dessus de la route, au loin, pour voir se dessiner la silhouette rassurante des deux cheminées de l'usine où mon père avait travaillé.

Les deux panaches n'étaient pas gris comme d'habitude, pas même gris anthracite, mais noirs. Ils semblaient se rejoindre, se nouer et se fondre. Les deux gigantesques volutes se muaient en un torrent de suie jaillissant dans le ciel, jusque sous les nuages qu'il entreprenait de salir.

À mesure que j'avançais, ce geyser noir de jais paraissait de plus en plus hostile et menaçant.

En plissant les yeux, je tentais de déceler une forme dans la fumée, peut-être un visage. Comme lorsque, enfant, on découvre un père Noël ou le profil de maman dans les nuages. Mais là, rien.

Soudain, j'ai vu la masse noirâtre se raidir, fondre sur moi, comme si elle piquait de la tête.

En quelques secondes, l'ectoplasme avait totalement obscurci le pare-brise. Je n'y voyais plus rien.

J'ai donné de violents coups de volant, à gauche, à droite, au risque de valdinguer. C'est le bas-côté de la route qui a stoppé ma course folle.

Abasourdi, je n'ai plus bougé. J'étais peut-être blessé. Grièvement. Peut-être que je saignais. J'ai décidé d'attendre que le flot achève de me passer dessus, sur la voiture et sur le corps.

Le froid, un froid terrible, m'engourdissait. La puanteur me révulsait et le bourdonnement, oui le bourdonnement, me rendait fou.

Ce n'était pas de la fumée, mais un essaim. Un essaim de mouches. Des centaines de milliers, peut-être des millions de mouches, de celles qui virevoltent au-dessus des cadavres plutôt que sur la merde.

Je ne sais plus trop si les choses se sont réellement déroulées de la sorte. Mais c'est en tout cas ainsi, qu'à l'époque, je croyais m'en souvenir.

16

Cette fois, l'article qui nous concernait n'occupait plus qu'un huitième de bas de page dans la feuille de chou locale : « Toujours aucune piste dans la tragédie familiale. » « L'enquête piétine, mais les gendarmes s'entêtent. » Avait dû trop regarder *La Tête et les Jambes*, le journaleux. Difficile de dire si le plumitif souhaitait ainsi encourager les enquêteurs ou railler leur persévérante inefficacité.

D'ordinaire, le lieutenant-colonel Benoît eût très mal pris la chose. Car s'il ne tirait aucune gloriole personnelle des – rares – hommages que la presse régionale pouvait rendre de temps en temps à son action, il n'en était pas moins perméable à la critique publique et en concevait une vive contrariété. Le gendarme n'aimait pas passer pour un con, ce qui, somme toute, laissait pour une fois poindre l'homme sous l'uniforme.

Le militaire replia le journal. En deux dans le sens de la longueur, puis encore une fois en deux, verticalement. Comme à son habitude, bien soigneusement, avant de poser le canard sur son bureau. Il y avait lu ce qui l'intéressait et personne d'autre ne viendrait le feuilleter. Mais l'abonnement avait été réglé par l'administration, ce qui signifiait donc, aux yeux de Benoît, qu'elle demeurait propriétaire de chaque exemplaire. Et ça, ça se respecte.

La perspective d'endurer une nouvelle journée en présence des collègues qui s'escrimaient sur l'affaire à ses côtés raviva les migraines dont il était la proie. Il ne s'était jamais ouvert de ce mal, surtout pas à un médecin militaire, sa déficience visuelle ayant, selon lui, suffisamment obéré sa carrière comme ça ! Benoît ôta ses lunettes. Sous le poids des verres, les montures métalliques imprimaient deux marques identiques de chaque côté des arêtes du nez qu'il massa entre le pouce et l'index. Une journée de plus en moins. Une journée de perdue à potasser le dossier pour n'y rien trouver, la seule distraction consistant à jeter un œil sur les autres affaires qui occupaient le commissariat. « Non, décidément, ça ne va pas être possible », se dit Benoît à voix basse, répétant la phrase fétiche de sa nièce de quatorze ans, qui était en passe de devenir un tic de langage, voire lui tenir lieu de leitmotiv. Le gendarme rechaussa ses carreaux, se saisit de son couvre-chef et sortit du bureau. Trois hommes et une femme en pull bleu marine s'affairaient dans la pièce adjacente. « Si on me cherche, je suis chez eux », lança l'officier à sa petite troupe.

Curieux, tout de même, sa façon de parler de nous comme si nous étions encore vivants et qu'il nous rendait une visite de courtoisie. De routine plutôt, ça sonne plus maréchaussée. Benoît, en tout cas, n'avait pas besoin de préciser chez qui il se rendait pour se faire comprendre : chez nous, chez les pendus.

« Vous y allez seul, chef? » « Pourquoi, je devrais avoir peur des fantômes? » De mauvais poil, le gradé. Sans doute un reliquat de la lecture de l'article. En sortant, il claqua violemment la porte vitrée. Mal luné, vraiment.

Lorsqu'il arriva à hauteur du pavillon, la concentration avait pris le pas sur la mauvaise humeur. Benoît coupa le moteur mais resta encore un moment au volant du véhicule que l'administration mettait au service de la gendarmerie.

Il frictionna encore une fois les arêtes de son nez, mais sans ôter ses lunettes, juste en relevant un peu la monture.

La mère Bin observait le militaire à céphalées depuis la fenêtre de sa cuisine. Le ronronnement de la voiture qui s'était approchée et arrêtée dans sa rue lui était inconnu, ce qui l'avait alertée sur l'arrivée d'un étranger. À neuf heures du matin en pleine semaine, voilà qui constituerait bien l'événement de la matinée et justifiait qu'elle relève le rideau en dentelle au-dessus de l'évier pour jeter un coup d'œil. Lorsqu'il claqua la portière de l'automobile, en relevant la tête, Benoît s'aperçut que la vieille chouette le dévisageait derrière ses persiennes. « Encore une qui passe sa vie à scruter les alentours sans rien voir », soupira-t-il, en se remémorant l'avoir auditionnée quelques jours plus tôt en vain, juste pour apprendre qu'elle avait bien découvert les corps, tourné autour et s'était appuyée sur le buffet « à cause du choc et de l'émotion », avant de prévenir la gendarmerie. À son tour, il la fixa, un court instant, mais juste assez pour que la vieille se sente mal à l'aise et rabatte le rideau en fausse guipure du Puy pour disparaître dans sa cuisine. Benoît n'était pas mécontent de l'avoir obligée à battre en retraite, la mémé. C'est l'uniforme, ça impressionne toujours.

Devant notre porte, il extirpa de sa mallette une guirlande de clés solidarisées entre elles par un gros bout de ficelle : un vrai trousseau de mère supérieure. Il s'agissait de toutes nos clés, les miennes, celles de papa, maman et sœurette, qui avaient été collectées, rassemblées, puis consciencieusement essayées sur les serrures du pavillon par une jeune gendarmette afin de déterminer « ce qui ouvre quoi ». À chaque tentative réussie, la subordonnée de Benoît inscrivait la fonction du sésame sur un grand tableau réalisé sous tableur Excel aux lignes numérotées. Enfin, elle reportait le numéro sur un minuscule bout de papier qu'elle scotchait sur la clé idoine : 1) Entrée pavillon ; 2) Garage ; 3) Garage porte intérieure vers pavillon ; 4) Voiture fils portière ; 5) Voiture fils contact ; 6 ; 7 ; 8, etc. Certaines clés, cinq au total, ne s'étaient pas vu attribuer de numéro mais étaient affublées d'un point d'interrogation, signe que la gendarmette avait séché et renoncé à savoir « ce que peut bien ouvrir cette putain de clé ». Parmi ces petits objets mystères en métal, il y avait la clé du store en fer de l'auto-école de ma sœur, deux autres qui correspondaient à la grande double porte des réserves du supermarché, la clé du bureau de mon père à l'usine qu'il avait conservée on ne sait pourquoi et, enfin, une cinquième dont toute la famille ignorait la destination, mais que ma mère conservait quand même « parce qu'une clé, ça ouvre toujours quelque chose » et que nous serions « un jour, bien contents de la trouver ». Benoît soupesa le trousseau dans la paume de sa main, ce qui fit s'entrechoquer et tinter les clés, puis se saisit de la numéro 1) Entrée pavillon. Il la fit d'abord glisser derrière le ruban qu'il avait lui-même apposé sur la porte et fixé avec deux gros cachets de cire rouge sur lesquels se détachait en relief la mention « Scellés – Gendarmerie nationale ». D'un coup sec, il brisa lesdits scellés. Pas très réglementaire. Mais il était lieutenant-colonel et chef d'enquête, oui ou non ? Ce n'était pas jour à le contrarier.

Benoît pénétra directement dans la salle à manger. Plus rien ne trahissait le drame que nous y avions organisé, hormis les quatre chaises, nos quatre chaises Henri II assorties au buffet, qui avaient toutes été relevées mais laissées bien alignées côte à côte, sous la poutre qui nous avait servi de gibet. Le gendarme semblait bien connaître les lieux pour y avoir passé plusieurs heures lors des « premières constatations » et relevés sur la scène… la scène de quoi au fait ? Il ne parvenait toujours pas à la qualifier de

« crime ». Mais « la scène du drame » ou « les lieux de la tragédie », ça sonnait comme « Au théâtre ce soir », pas précisément le style d'un rapport de gendarmerie. Ça devenait agaçant, à la fin. Passant entre les chaises et le buffet Henri II, le gendarme se dirigea vers la porte vitrée aux carreaux orangés qui menait au jardin.

À l'origine, une porte simple et banale, en bois, non ajourée, donnait accès à l'arrière du pavillon. C'est mon père qui avait décidé d'abattre un pan de mur pour élargir l'ouverture et y installer la double porte vitrée qu'il avait assemblée de ses mains. L'idée lui était venue au détour d'une allée du Leroy Merlin (celui qui se trouve à la sortie de la ville, juste avant la rocade). Je m'en souviens très bien car je l'accompagnais ce jour-là à la recherche d'une hotte aspirante. Après une bonne heure de tergiversations, notre choix s'était arrêté sur le modèle « hotte décorative » d'Arthur Martin, avec groupe aspirant-filtrant et, détail qui avait emporté notre décision, visière rétractable. Elle coûtait vingt-deux euros de plus que le modèle d'un autre Arthur – Bonnet celui-là – mais présentait l'avantage de garantir un « fonctionnement silencieux ». C'est du moins ce que revendiquait le cartel de présentation des caractéristiques techniques à la rubrique « avantages qualité-prix ». « Bon, prenons celle-là, avait fini par trancher mon père. Au moins comme ça, ta mère entendra ce qu'on lui dit quand elle est dans la cuisine. » J'avais trouvé cette remarque très injuste. Après tout, était-ce la faute de maman si elle n'entendait pas mon père lui lire le programme télé du soir depuis la salle à manger à cause du souffle de sa vieille hotte aspirante (même pas filtrante) ? Est-ce qu'il aurait préféré ne pas avoir à répéter l'intitulé de l'émission de variétés mais sentir le rôti de bœuf forestier toute la soirée ? Non, alors ? J'étais donc un peu contrarié d'avoir compris que papa achetait une nouvelle hotte – qui plus est un peu plus chère – non pour le confort ménager de ma mère, mais pour s'éviter de déclamer *Télé-cette semaine, câble et satellite* à la manière d'un perroquet, en boucle, et en s'égosillant.

C'est en nous dirigeant vers les caisses du Leroy Merlin que nous sommes tombés sur la vidéo qui vantait les mérites des « doubles portes vitrées : une ouverture sur le monde à monter soi-même ». Nous étions arrivés au beau milieu du court-métrage de démonstration. Mais même en ayant manqué le début, ça avait l'air plutôt facile. « C'est une bonne idée ça, une double porte vitrée, remarqua mon père. Pour accéder au jardin, ça serait l'idéal. Et comme ça, on pourrait peut-être manger dehors de temps en temps. » Là encore, j'ai cru percevoir un reproche subliminal destiné à ma mère. C'est vrai que maman refusait d'utiliser le barbecue en pierres réfractaires Eternit que papa avait bricolé dans le jardin, par crainte de nous griller une entrecôte dont elle était persuadée qu'elle serait, à coup sûr, assaisonnée aux fibres d'amiante. « À cause des pierres Eternit. » On n'est jamais trop prudent. Elle considérait, aussi, que la porte (alors simple, en bois, non ajourée) qui menait à l'arrière du pavillon était trop étroite pour passer les plus grands plats depuis la cuisine. Du coup, nous ne mangions jamais dehors. Mais, une fois de plus, était-ce la faute de ma mère ? Ce n'est quand même pas elle qui avait dessiné les plans de la maison, ni décidé de la composition des pierres réfractaires. Bref, c'est comme ça que nous sommes repartis du Leroy Merlin avec une hotte Arthur Martin, groupe aspirant-filtrant, visière rétractable, et une double porte vitrée à monter soi-même que s'apprêtait maintenant à franchir le lieutenant-colonel Benoît.

Le jardin, notre jardin, était divisé en deux parties, en théorie dévolues à deux usages distincts. Après avoir perdu un peu plus de la moitié de sa superficie, la pelouse était désormais cantonnée à l'arrière. Pour y accéder, il fallait traverser deux mètres cinquante de sol en dur dont mon père avait posé chaque centimètre carré. Comme à son habitude, il avait bien étudié la question avant de se lancer. Enfin, longuement hésité. Surtout quant à la nature du revêtement. Pavés classiques ou pavés vieillis ? Les seconds promettaient de « jouer avec la couleur et les lumières » et les deux présentaient l'avantage d'une pose facile, tous les pavés ayant l'appréciable particularité de s'emboîter parfaitement. Trop peut-être. Papa voulait de « l'authentique ». « Pour ça, je ne vois qu'une seule solution : un opus incertum composé de pierres naturelles. » Imaginatifs, incollables et latinistes distingués, avec ça, les vendeurs du Leroy Merlin ! Enfin, distingués. Celui-là devait plutôt pratiquer le latin de cuisine. De cuisine aménagée, en l'occurrence. Pour résumer, il s'agissait d'un « dallage irrégulier ». Papa avait ramené des échantillons pierreux à la maison pour associer toute la famille au choix cornélien et aussi parce que « rien ne vaut un essai in situ pour se rendre compte », dixit le vendeur distingué. Mon père a donc disposé sur le gazon les morceaux de marbre du Portugal, de quartzite du Brésil rustique et jaune, d'ardoise d'Espagne, de granit vert des Alpes italiennes et de calcaire du Jura. Les suffrages de la famille se sont portés sur la roche la moins exotique, mais la plus patriotique.

Le lieutenant-colonel évoluait donc, sans le savoir, sur un opus incertum en pierres naturelles tout droit extraites des carrières de Franche-Comté. Rien ne pouvait l'esquinter, pas même les talons des souliers réglementaires de la maréchaussée. Benoît pouvait y aller, c'était du solide. Il entreprit ainsi d'achever son tour du propriétaire par l'extérieur du pavillon.

Le centre de l'opus était occupé par une grande table de jardin en plastique vert. Ovale, pouvant accueillir six à huit convives (comme moi, mon père comptait toujours large, on ne sait jamais), achetée auprès de la même enseigne que le sol sur lequel elle trônait, que la double porte vitrée et que la hotte aspirante. À l'instar de l'ensemble Henri II, les chaises de plein air étaient assorties. Six chaises, dites « fauteuils de jardin » car elles disposaient d'accoudoirs, moulées dans du PVC vert bouteille. Cinq étaient empilées dans un coin, encastrées les unes dans les autres, et protégées des intempéries par une bâche de plastique blanc un peu sale. Benoît les découvrit en relevant un pendant de la bâche. De l'eau qui stagnait dans les replis, troublée de particules noirâtres en suspension, s'écoula pour former une petite flaque sur les pierres naturelles qui changèrent aussitôt de couleur. Il avait plu la veille. « Ils devaient les remiser là en espérant les beaux jours », supputa le gendarme en dénombrant les fauteuils de jardin du regard. Un, deux, trois, quatre, cinq. Pas logique, ce nombre impair. « Quatre, d'accord : un pour chaque membre de la famille. Six, à la rigueur : si on veut inviter des amis qui vont souvent par deux, ou si on veut compter large. Mais pas cinq ! » Benoît balaya du regard l'ensemble du jardin à la recherche du fauteuil manquant, séparé et tenu à l'écart des autres comme dans le jeu des chaises musicales. Il le repéra tout au fond, dans le recoin le plus sombre, sur la pelouse et curieusement tourné face au mur de ciment qui délimitait l'espace vert de celui de la mère Bin. De sorte que, si quelqu'un avait pris place, il aurait fixé le mur, à une quinzaine de centimètres.

Suite de l'inspection. La table ovale vert foncé était transpercée en son centre par un pied de parasol, sans le parasol. Et là, il eut beau chercher : pas l'ombre d'un parasol. Ni sous la table, ni près des chaises enchâssées, ni derrière la poubelle. D'un vert moins foncé que le mobilier de jardin, celle-ci était dotée de deux roulettes et couronnée d'un couvercle jaune canari incongru.

« Poubelle de rue, tri sélectif », conclut Benoît qui s'attendait donc à découvrir des journaux et des bouteilles en plastique en relevant la lunette couleur bouton-d'or. Vide. Pas même un vieux *Carrières et emplois* au fond de la poubelle que Benoît jugeait bien propre, comme si rien n'y avait été jeté, jamais. Trois tonneaux, eux aussi en plastique mais bleus, étaient alignés près de la poubelle. Bien fermés, une planche, assez lourde, semblait empêcher les couvercles de s'ouvrir inopportunément. Benoît ne se donna même pas la peine de déplacer le bout de bois pour ouvrir les barriques et en inspecter l'intérieur. Au mieux, elles ne contiendraient que de l'eau de pluie, leur premier usage étant de la recueillir. Ou du gazon coupé, mais qui serait apparu par transparence, rendant la paroi bleu foncé à partir du bas jusqu'à hauteur de l'herbe tondue. Ou des feuilles mortes, mais il n'y avait aucun arbre dans le jardin. Aucune feuille morte bien que tout, ici, semblât inerte. Par acquit de conscience, le gendarme donna deux coups de pied secs, de la pointe de la chaussure réglementaire, dans chaque tonneau. Ça sonnait creux. Le gradé en avait assez vu. Il rentra dans la salle à manger et ferma derrière lui la double porte vitrée.

Il ressentit que la température était plus basse dans cette vaste pièce assez sombre. Peut-être eût-il fallu ouvrir en grand la double porte pour laisser pénétrer le soleil. Il jugea cependant inutile d'allumer la lumière. Alourdir la facture d'électricité des morts lui semblait inconvenant.

Il ôta son képi et le posa sur la table, au milieu, presque à la place du repose-plat. Plus par besoin de concentration que par lassitude, il décida de s'asseoir sur la première des quatre chaises alignées, sans en modifier l'ordonnancement. Benoît l'avait constaté de longue date, il réfléchissait mieux *a posteriori*, comme on dit chez Leroy Merlin, après coup ; seul dans son bureau plutôt qu'en présence d'un témoin en audition, dans sa voiture qui le ramenait à la caserne plutôt que sur une scène de crime. Il songea donc au jardin et entreprit de « ré-ca-pi-tu-ler ». Il s'efforçait d'imaginer les petites fêtes que les pendus devaient y donner. Les anniversaires, les déjeuners d'été, la visite d'un couple de cousins pendant les vacances. « Les jours heureux » en somme. De joyeuses occasions qu'on immortalise, en général. De quoi, au moins, mettre en joie le journaleux du coin s'il avait mis la main sur de telles photos : « C'était le temps du bonheur » et gna-gna-gna, etc. Oui mais, voilà, les hommes de Benoît avaient eu beau fouiller, tout retourner, ils n'avaient pas mis au jour le moindre cliché. Pas étonnant que le lieutenant-colonel peine à se représenter la petite famille autrement que suspendue à la poutre de la salle à manger, tous les quatre comme des pantins. Sa virée au grand air, dans le jardin, n'était pas de nature à lui changer les idées, ni à dissiper cette image.

Le décor était planté mais quelque chose clochait, ne tournait pas rond, ne tenait pas la route. Cette table en plastique, trop nette, sans rayures. Ces chaises encore emboîtées comme au magasin (une exceptée, certes). Même le barbecue bricolé avec quelques pierres réfractaires Eternit cimentées artisanalement semblait ne jamais avoir été utilisé. Aucun indice qu'il ait un jour abrité un foyer. Quant à la poubelle au couvercle jaune, elle était bien sûr destinée à l'herbe coupée de frais, aux feuilles mortes (inexistantes), aux journaux (pour allumer le feu ?), comme aux cendres du barbecue et aux morceaux de bois calcinés. Tout cela n'avait jamais servi. Pour Benoît, c'était net et sans bavure, c'était in-du-bi-ta-ble. Pour quelle raison ? Mystère. Il extirpa son calepin, tenu au chaud dans la poche intérieure du veston de son uniforme – déjà le troisième qu'il noircissait depuis le début de l'enquête – et nota : « Vérifier la date d'achat du mobilier de jardin (facture, ticket de caisse ou débit bancaire). » Il replaça le stylo-bille dans l'encoche du carnet recouvert de moleskine noire, coiffa son képi et sortit du pavillon. Une matinée entière pour en arriver là… C'était peu mais toujours ça de pris.

En quittant les lieux, Benoît n'avait même pas adressé un regard à la vieille chouette, planquée derrière les rideaux de sa cuisine.

17

Ce 24 décembre, j'ai quitté presque à l'heure habituelle le supermarché qui, « exceptionnellement » (une nouvelle fois donc), fermait ses portes plus tard que de coutume, afin de permettre aux retardataires de s'approvisionner pour la fête obligatoire. Le ban et l'arrière-ban des caissières étaient mobilisés, volontaires d'office et rétribuées en heures sup un peu chiches. Pour ma part, je n'avais pas à jouer les prolongations parce que le boulot dans les réserves, ça se fait plutôt en amont.

J'ai tout de même hâté le pas car nous avions encore, ma sœur et moi, à confectionner les paquets pour les cadeaux des parents : le beau livre sur l'A380 pour mon père et un autocuiseur

« à vapeur, qui préserve le goût et toutes les vitamines des aliments » pour notre mère. Au début, j'avais songé à un micro-ondes-gril. Nous en avions reçu vingt-cinq pour une « offre spéciale » au supermarché. Je les avais moi-même déchargés de la palette et installés au rayon « arts ménagers ». Le prix était « imbattable » et l'appareil, dernier cri, ne manquait pas d'options alléchantes. J'étais à deux doigts de l'acheter. Encore heureux que nous nous concertions toujours avec ma sœur sinon, j'aurais fait une belle boulette : « Un micro-ondes pour maman ? T'es tombé sur la tête ? Pourquoi pas *La Cuisine pour les nuls* tant que t'y es ! Tu veux vraiment prendre un appareil électroménager dans la poire le soir de Noël ou c'est juste pour la faire pleurer ? » Elle avait raison, sœurette. Et de la présence d'esprit, comme toujours. Nous nous étions donc rabattus sur l'autocuiseur à vapeur car il était, selon le descriptif, « l'ustensile indispensable des cordons bleus qui se soucient des bienfaits de la diététique ». Un peu plus cher que le micro-ondes, mais il était « indispensable » et manquait à la collection d'attirail culinaire de maman.

Il fallait donc joliment empaqueter un bouquin et une grosse boîte en carton rectangulaire. C'est pas sorcier, mais une vraie gageure pour ma sœur. Les paquets, ça n'a jamais été son truc.

Si je l'avais laissée, c'est tout le rouleau de papier cadeau avec les oursons bleus dessus qui y serait passé ! De gros rectangles chiffonnés avec des bouts de Scotch partout. Couru d'avance. J'ai donc pris les choses en main : « Tu peux mettre ton doigt là s'il te plaît ? Non, attends, je n'ai pas plié le rebord. » Au final, nous sommes parvenus à un résultat plus qu'honorable et, surtout, présentable.

La nuit de Noël est l'occasion de se retrouver en famille et autour d'un bon dîner. Mais pour nous, ces deux événements n'avaient rien d'extraordinaire. Bien au contraire, ils étaient notre quotidien. Ce qui nous aurait vraiment changés, c'eût été de nous séparer pour un soir, et d'avaler sur le pouce, à la bonne franquette ou à la fortune du pot, un repas frugal. Chez nous, au pavillon, c'était un peu Noël tous les jours. Mais nous étions comme toutes les familles ; nous aussi voulions que le 24 décembre se distingue. Alors pour donner dans l'original, nous n'avions qu'une solution : améliorer l'ordinaire. Rendre nos habitudes un tantinet plus festives.

Pour ma mère, ça se passait derrière les fourneaux dans lesquels elle nous mitonnait un menu spécial, dont la composition demeurait secrète jusqu'à la dernière minute et sa préparation allait l'occuper plusieurs jours durant. C'était en quelque sorte ce qu'elle nous offrait, son cadeau à elle. Mon père, lui, s'occupait de la déco. Deux semaines avant le fameux soir, il commençait à accrocher les guirlandes bariolées à la poutre de la salle à manger et autour des reliefs du buffet Henri II. D'habitude, il poussait le meuble renfermant le téléviseur – que nous n'ouvrions que rarement, et le meuble et le téléviseur – pour installer le sapin : toujours un vrai ! Un Nordmann, parce que les aiguilles bleutées « c'est plus joli » et qu'elles « durent plus longtemps ». Donc, rapport qualité-prix, le Nordmann est une bonne affaire. Il déguisait aussi le résineux de la base du tronc à la cime, mais attendait toujours le 24 au soir pour la touche finale et planter sur le faîte une étoile argentée et enneigée. Pour dissimuler l'absence de racines et « faire plus authentique », papa cachait le trépied en plastique vert en l'emmaillotant d'un papier « imitation rocher » qu'il froissait pour un meilleur rendu. Souci du détail et plaisir de singer la nature, bien que j'aie toujours pensé qu'un sapin qui pousse sur une roche, ça n'est pas très naturel. Mais j'ai gardé cette remarque pour moi. Je ne voulais pas contrarier ni décevoir mon père. Il se donnait tant de mal.

Sœurette et moi n'avions qu'à nous préoccuper des cadeaux des parents. Oh, bien sûr, nous aussi avions droit à notre petit quelque chose. Mais ce n'était pas vraiment une surprise. Ma mère m'offrait un pull ou un pantalon. Un bien, « pas pour tous les jours », « avec des pinces », « de qualité », « qui durera ». Ma sœur, elle, s'attendait à une parure housse de couette-édredon ou à un ensemble de linges de toilette (nid-d'abeilles, elle y tenait). Une année, elle reçut un coffret Roger & Gallet Mont-Saint-Michel, avec les savons parfumés et l'eau de Cologne.

Les rôles étaient bien répartis et les effets de surprise limités. Ça nous rassurait, je crois. Mais cette fois, la machine s'est grippée et tout est allé de travers. Enfin, pas tout, mais pas mal de choses quand même.

Papa s'y était pris à la dernière minute, bien plus tard que d'habitude en tout cas. Il n'avait pas le cœur à ça. En sortant les boules rouges et bleues de la boîte où elles avaient attendu depuis près d'un an, trois lui avaient échappé des mains et avaient terminé éclatées sur le sol de la salle à manger. Mais surtout, il avait oublié le principal : le sapin. Jusqu'alors, il s'était toujours procuré son arbre via le CE de l'usine qui les achetait en gros et proposait des tarifs avantageux aux employés. Normal que ça lui soit sorti de la tête. Du coup, j'ai rapporté un épicéa en promo du supermarché. Ce n'était pas un Nordmann. Ma sœur avait dédramatisé : « On ramassera un peu plus d'épines, c'est tout. De toute façon, exposer un arbre mort au milieu du salon avec des boules de couleur, c'est un peu comme si on mettait des boucles d'oreilles en strass à la mère Bin avant sa mise en bière pour la veillée funèbre. » Maman n'avait pas semblé heurtée par la comparaison : « C'est vrai qu'on célèbre la naissance du petit Jésus, mais quand on sait comment il a fini... D'ailleurs, avait-elle poursuivi, cette année, on se passera d'huîtres en entrée si vous n'y voyez pas d'inconvénient. Parce que je ne me vois pas manger des animaux vivants. » Je n'ai pas très bien saisi s'il y avait un rapport entre le Christ et les mollusques. Enfin, c'est dire l'ambiance. Et le climat... glacial ! Y compris au sens propre. Car mon père avait coupé le chauffage près du meuble télé depuis qu'on avait installé le sapin, au motif qu'il risquait de perdre ses épines encore plus vite sous l'effet de la chaleur, « vu que ce n'est pas un Nordmann ».

Maman, elle, continuait à nous dévoiler son menu, ou plutôt ce qu'il ne contiendrait pas : « Cette année, pas de chapon. Quand on sait ce qu'on leur fait subir et ce qu'on leur coupe, merci bien. »

Nous savions donc que nous échapperions aux cris des huîtres dévorées vivantes, au gallinacé émasculé, mais que nous contemplerions un arbre mort, privé de ses racines vitales à coups de hache. Tout ça pour commémorer la naissance d'un homme mort à trente-trois ans dans d'atroces supplices.

Papa réussit après bien des recherches à mettre la main sur la rallonge nécessaire à la guirlande électrique tandis que ma mère achevait de disposer les verres cristal Arcoroc. Sur les coups de 20 h, 20 h 10 peut-être, tout était donc fin prêt pour que nous puissions nous forcer à être heureux.

Sœurette s'était pomponnée, avec du rose aux joues et un discret rouge à lèvres qu'elle avait achetés par correspondance auprès du Club des Créateurs de Beauté. En sus des cosmétiques et en « cadeau de bienvenue au Club des Créateurs de Beauté », elle avait reçu un pendentif « doré à l'or fin » qui lui avait beaucoup plu : un petit chien. Un terrier anglais, je crois, mais je n'ai jamais travaillé au rayon animalier. De mon côté, j'avais eu le temps de m'isoler dans ma chambre pour me changer : un pull rouge foncé qui « va si bien » avec mes cheveux noirs, mon pantalon gris et mes chaussures Kenzo. J'étais sûr de recevoir une toute nouvelle tenue dans les heures suivantes, au moins le pull ou le pantalon à pinces.

En déposant le livre et l'autocuiseur au pied de l'arbre mort, j'ai trouvé mon père seul dans la salle à manger, collé dans son fauteuil, contemplant les loupiotes multicolores. J'ai remarqué qu'il portait encore ses pantoufles. « Tu ne te changes pas ? » « Hein ? Qu'est-ce que tu veux que je change ? » J'ai désigné les chaussons d'un mouvement du menton : « Ben, ça. » « Ah oui, tu as raison. Je vais mettre mes souliers bien sûr. Il y a longtemps que je ne les ai pas cirés. » Un bail en effet pour mon père, cet homme que j'avais toujours connu tiré à quatre épingles. Un bon moment aussi qu'il ne sortait plus. Il ne quittait plus ni ses chaussons, ni le pavillon. Pas même pour aller acheter *Carrières et emplois*. De toute façon, on ne se rend pas chez le marchand de journaux en charentaises. Il avait renoncé. Oui, je crois.

Lorsque maman a posé l'assortiment de charcuteries sur le repose-plat, au centre de la table, j'ai cru reconnaître le jambon cru, les tranches de mortadelle et le pâté en croûte pistaché. J'ai très vite chassé cette idée de mon esprit :

ils ne pouvaient pas venir du supermarché, ma mère n'y mettait jamais les pieds. Mais c'est vrai qu'ils ressemblaient quand même sacrément aux lots que Francis était venu chercher pour la Banque alimentaire. Dès le lendemain, nous recevions un réassort, un nouvel arrivage des mêmes produits, mais plus frais bien sûr, avec des DLC et des DLV toutes neuves. « Ça vient de chez toi, a fièrement déclaré ma mère en me regardant avec un large sourire. Pour une fois, je suis allée m'approvisionner au supermarché. Ils ont plein de choses aussi bien que chez le charcutier, mais c'est moins cher. Enfin, tu sais de quoi je parle. D'ailleurs, pour ce soir, je vous ai concocté un dîner *100 % supermarché*. On verra bien. » Sur l'instant, ma sœur et moi avons regretté de ne pas avoir opté pour le micro-ondes.

Le silence qui a suivi a permis à chacun de sombrer dans ses pensées. Sans véritablement choisir – l'idée et l'image se sont imposées d'elles-mêmes – j'ai eu tout mon soûl pour songer à Caroline. Dans le désordre, comme dans un rêve sans queue ni tête. On aurait dit les extraits en vrac d'un court-métrage bâclé. Qu'importe, même par petits fragments éparpillés, l'essentiel était que je pense à elle.

Comment Caroline occupait-elle son Noël? Sans doute le passait-elle à jouer les bons Samaritains avec Francis. Lui n'avait rien de mieux à faire et elle, plus d'autre famille pour l'accueillir. Et ma famille, est-ce qu'elle lui plairait? Caroline devait s'être mise en quatre pour organiser le dîner de fête de tous les paumés et nécessiteux de la région. J'imaginais les efforts de présentation, chaque bénévole ayant été prié de rapporter un ou deux plats en inox de chez lui. Le 24 décembre, même les pauvres n'aiment pas jouer à la dînette dans des assiettes en carton. Sans doute avait-elle pour une fois pioché dans la « cagnotte » de la Banque et confié à Francis la mission de confiance de revenir de la Halle aux Vins avec quelques bouteilles de Bartissol et quatre ou cinq de faux champagne à grosses bulles. Il n'y en aurait pas pour tout le monde, il faudrait se rationner, comme sur un navire de pirates en manque d'eau douce. Caroline comptait sur l'abstinence contrainte de quelques-uns qui, pour la énième fois, tentaient de s'accrocher à la troisième étape du programme des AA. Eux se rabattraient sur le jus d'orange ou l'ersatz de Coca et, s'ils ne craquaient pas avant la fin de la soirée, laisseraient les autres se partager un peu plus de bibine. J'imaginais le hangar du cours Édouard-Vaillant transformé en salle des fêtes, sur fond de musique antillaise, baignée de la même lumière blanche des néons. Caroline s'était-elle déguisée pour donner le ton? Peut-être avait-elle troqué son petit bonnet de laine pour un autre, rouge avec la fausse fourrure blanche tout autour et un pompon. Je la voyais mal s'être passée une guirlande verte autour du cou en guise d'écharpe. Ça, c'était plutôt le genre de Francis. Elle devait sourire, faire semblant, taper dans le dos, se forcer à rire et trinquer avec un gobelet de jus d'orange, pour laisser tout le mousseux aux invités. Sûr que certains, un peu éméchés pour avoir commencé à s'anesthésier au rouge plus tôt dans la journée, devaient regarder ses seins sans la zyeuter discrètement, du coin de l'œil, d'autres devaient la prendre par la taille en espérant glisser la main un peu plus bas ou, pour les plus audacieux, coller un long baiser sur la joue, au plus près des lèvres. Après tout, c'est le soir de Noël! J'en ai souri. Comme si, bon prince, j'avais laissé des gamins s'approcher de ma voiture de sport pour la toucher, en surveillant un peu quand même, mais sans être jaloux. C'était présomptueux de ma part. J'ai eu honte d'aller aussi vite en besogne dans ma rêverie et j'ai cessé de sourire. Je devais commencer à vieillir car je regardais avec de plus en plus d'insistance l'annulaire gauche des femmes, et même des femmes encore jeunes. Quelque chose me disait que Caroline n'aurait jamais la trace d'une alliance, qu'elle devait s'être juré de ne jamais se sertir le doigt comme on bague un poulet. Inutile de se hâter, de lui faire des avances. Rien à déclarer, pour le moment. Elle ne cherchait pas un compagnon et encore moins un géniteur.

– Tu vas t'approvisionner en grande surface, maintenant ! a soudain éructé mon père qui semblait avoir totalement émergé de son asthénie. C'est parce que je suis en retraite ? Parce que je ne travaille plus ? Que nous gagnons moins ? C'est ça, hein ? T'as peur de manquer !

Il devait en effet y avoir un peu de toutes ces raisons. Ma mère ne l'aurait jamais avoué. Trop fière.

– Mais non, voyons. On gagne moins. Enfin, tu touches moins, c'est vrai. Mais nous ne sommes quand même pas à plaindre. Je ne fais pas des économies, je suis précautionneuse, je fais attention. Ce n'est pas pareil.

– Et si on ouvrait les cadeaux, ai-je timidement avancé en guise de diversion, redoutant la tournure que prenaient les échanges et que les tranches de mortadelle ne volent à travers la pièce, avec leur contenant.

– Ça attendra, a tranché ma sœur. Avant d'attaquer les réjouissances, j'ai une grande nouvelle que j'aimerais partager avec vous ! Autant y passer maintenant, ça me soulagera peut-être, bien que j'en doute.

Diversion efficace suivie d'un silence de mort. Ou de circonstance.

– Eh ben voilà, a-t-elle repris sur un ton moins assuré. Après la semaine de vacances de Noël, je n'irai plus à l'auto-école qu'un jour sur deux, ou bien seulement les matinées ou les après-midi, on verra : Michel et Denise ne sont pas encore fixés. Travail partiel ou chômage à moitié. Appelez ça comme vous voulez, le résultat est le même. Je n'ai pas le choix, j'ai dû signer un nouveau contrat. C'était ça ou la porte, vous comprenez ?

Bien sûr que l'on comprenait. Ce que voulait sans doute savoir sœurette, c'est si l'on compatissait. Pas de doute là-dessus : j'ai cru que ma mère allait se mettre à chialer et mon père semblait être retombé dans son exil intérieur. Quant à moi, j'ai simplement passé le dos de ma main sur la joue de ma sœur qu'elle a repoussée d'une chiquenaude.

– Et vous savez ce qu'ils m'ont dit ? « Y a rien de personnel. Rien contre toi, mais là, on ne peut plus. On n'a plus assez de travail pour t'occuper à plein temps. » Mais qu'est-ce qu'ils s'imaginent ? Que j'enquille des centaines de diapositives du code de la route devant des ados boutonneux juste pour ne pas sombrer dans l'oisiveté ?

Au lieu d'éclater en sanglots, ma mère s'est cru plus inspirée :

– Bon, en somme, tu seras plus souvent à la maison. Ce n'est pas si grave.

Ma sœur l'a fusillée du regard, tandis que je levais les yeux au ciel. Et vers la poutre.

En y repensant, il me semble que nous aurions dû ouvrir les cadeaux avant.

18

Benoît fit son entrée dans la caserne d'un pas martial. « Toujours pas calmé, le lieut-co », pensèrent ses troupes dont l'intuition se confirma. « Demain, je veux tout le monde chez eux : reconstitution ! Vous direz à Chabert et à sa consœur, comment s'appelle-t-elle déjà ? Bref, vous leur direz d'être présentes toutes les deux. Rendez-vous au pavillon à huit heures. » Sur quoi il pénétra dans son bureau. L'exemplaire du canard s'était envolé. Mais il ne remarqua pas la disparition du journal, déjà accaparé par les promesses qu'il plaçait dans la reconstitution du lendemain. Il en tirerait bien quelque chose, c'était certain.

Quinze bonnes minutes avant l'heure dite, Chabert et sa consœur se tenaient devant le pavillon dans leurs petits souliers réglementaires. Elles furent bientôt rejointes par les deux gendarmes affectés à plein temps à l'enquête. L'officier supérieur arriva sur zone à « huit-zéro-zéro ». « Veuillez m'excuser pour le retard. » La ponctualité militaire veut qu'être à l'heure consiste à arriver cinq minutes en avance. Benoît ouvrit la porte avec la clé numéro 1 du trousseau de mère supérieure. La petite escouade pénétra dans la salle à manger plongée dans la pénombre du matin. « Bon, nous allons essayer de comprendre comment les événements se sont déroulés, expliqua le chef en pressant le bouton de l'interrupteur : circonstances, enchaînement, chronologie, conséquences. » Il saisit un gros classeur noir qui dépassait d'un large carton de déménagement sur lequel était inscrit au feutre bleu « Scellés 1 », qu'un de ses hommes venait de poser sur la table. « Bon, tâchons d'être précis. » Benoît tournait les pages une à une. D'épaisses feuilles noires Canson sur lesquelles des photos avaient été encollées au stick UHU. Quatre clichés par page. Une sorte d'album photo de famille, de la famille des pendus. Rien ne manquait : le pavillon sous tous les angles, intérieurs et extérieurs, même le garage et le jardin, vues larges et plans serrés. Un vrai boulot d'agent immobilier. Après l'état des lieux, la collection de tirages argentiques (10x13, couleurs, mat, ainsi que le prescrit le règlement) changeait de thème. Plus vraiment un descriptif de maison à vendre. Les cadavres des quatre suicidés – Benoît préférait dire « les quatre pendus » pour ne pas induire de conclusions hâtives –, avaient été littéralement mitraillés et immortalisés. Père, mère, fils, fille, des pieds à la tête, de face, de profil, de dos, en entier et en plan américain. Le flash avait aussi pas mal crépité sur les nœuds de leurs dernières cravates.

Sûr que si j'avais disposé d'une telle documentation, je n'aurais pas raté mes nœuds comme une nouille le soir S du jour J. C'est bien connu, « une photo vaut mieux qu'un long discours » et « rien ne vaut la preuve par l'image ». Alors que moi, j'avais dû me contenter d'un schéma, même pas imprimé en couleurs faute d'encre dans ma cartouche bleu outremer, et d'un mode d'emploi, style étagère Billy à monter soi-même de chez Ikea (diffuseur exclusif du modèle, introuvable, donc, chez Leroy Merlin). Alors, bien sûr, vu comme ça, une fois sur nous, autour de nos cous, le nœud de laguis, ça semblait simple, en tout cas pas très compliqué. Et surtout rudement efficace.

Pour fonctionner, ça avait fonctionné. La corde avait bien glissé en nous serrant le kiki jusqu'à ce que mort s'ensuive. Mais quel boulot pour en arriver là ! Se pendre, c'est un vrai casse-tête.

– Bon, commençons par la configuration de la scène.

Benoît remontait l'album pour s'arrêter sur les clichés de la salle à manger. Aux vues d'ensemble succédaient des plans rapprochés de la table et du buffet Henri II. Le gradé pointa du doigt une des photos.

– Chabert !

– Colonel ?

– Allez dans la cuisine chercher des couverts : quatre assiettes, quatre fourchettes, quatre couteaux, quatre petites cuillères. Ramenez aussi le repose-plat et quatre verres Pyrex.

– Reçu, colonel !

Chabert se demandait pourquoi cette tâche lui incombait. Parce qu'il s'agissait d'une tâche ménagère ? Était-ce pour cette raison que le colonel avait expressément ordonné sa présence ? Parce qu'elle était gendarmette ?

– Et pour les assiettes, je prends quel service ? Celui avec les fleurs ou celui avec les motifs géométriques ? s'écria-t-elle pour être certaine d'être entendue du fin fond de la cuisine.

Et pourquoi pas le service de Sèvres de grand-mère, maugréa intérieurement Benoît.

– N'importe ! J'en sais rien, choisissez. Un peu d'initiative !

Les trois autres gendarmes restés avec le chef dans la salle à manger se penchèrent sur la photo. Comment auraient-ils pu savoir ? Effectivement, il manquait quelque chose. Le soir du drame, le couvert était mis, mais la table pas tout à fait dressée : il n'y avait aucune assiette.

– C'est singulier, ça, s'étonna Benoît à voix haute. Ils ont disposé les couteaux et les fourchettes, mais pas les assiettes. Je ne l'avais pas remarqué lors des premières constatations. Vous voyez, c'est à ça que sert une reconstitution ! précisa-t-il d'une manière quelque peu vexante pour les plus aguerris de ses homologues présents.

– C'est vrai ça. Moi, je mets toujours les assiettes en premier. D'ailleurs, j'ai appris à mon fils à toujours mettre les assiettes en premier. Sinon, il pose les couverts de travers ou trop près et les assiettes se retrouvent à moitié dessus, en équilibre. Il a six ans, confia la consœur de Chabert, estimant que son expérience de femme d'intérieur et de mère de famille pouvait sans doute faire progresser l'enquête, au moins à ce point.

– Donc, ils sont en train de dresser la table et ils s'arrêtent au beau milieu parce qu'ils ont décidé de se suicider? avança un de ses collègues. Ça a dû leur prendre comme un coup de fusil.

– De se pendre?

Benoît était au bord de l'exaspération.

– Non. Il y a une autre hypothèse… Ils ont été interrompus. Interrompus et dérangés. Par quelque chose ou plus sûrement par quelqu'un.

Il ne s'agissait pas d'une insinuation mais bel et bien d'une « dé-duc-tion ».

– Si on les a dérangés, on les a peut-être aussi aidés…

– Et pas à mettre le couvert.

– Vous trouvez ça drôle, Chabert?

À quoi ça tient, quand même, les intuitions hasardeuses qui paraissent tellement bien ficelées qu'elles finissent par se muer en certitudes. Si je n'avais pas mis toute la famille en retard en m'emmêlant avec mes nœuds, la petite escouade n'en serait pas là. Maman avait bien commencé à débarrasser – vu que nous avions décidé de passer de vie à trépas le ventre creux –, les assiettes en premier, comme à son habitude. Et c'est lorsqu'elle avait voulu s'emparer des fourchettes que mon père l'en avait dissuadée : « Laisse donc, on a assez perdu de temps comme ça. » Et j'avais ma part de responsabilité dans ce quiproquo, légitimant pour la première fois le lieutenant-colonel à envisager l'hypothèse criminelle. Rien que ça ! Ils auraient été mieux inspirés de rechercher notre lettre, les pandores, plutôt que de se perdre en conjectures au rayon des arts ménagers.

– Bon, poursuivons, persévéra Benoît sur sa lancée.

Chabert et les trois autres se demandaient ce qu'il pouvait bien y avoir à poursuivre hormis des fantômes. Après tout, l'autopsie était catégorique : « suicide à huis clos ». Mais non, quatre assiettes vous manquent et un gradé vous invente toute une théorie de meurtriers !

– Allez, à chacun la sienne, s'enthousiasma Benoît en distribuant des cordes à ses deux couples de subordonnés comme s'il s'était agi d'une nouvelle activité ludique proposée par le gentil organisateur aux clients d'un club de vacances formule *all inclusive*.

– Bon, alors, Chabert, vous êtes la plus jeune, vous ferez la fille. D'ailleurs vous avez à peu près sa taille. Vous le fils, vous le père.

Le rôle de la mère échut à la mère de famille.

– Dans l'ordre, la fille sur la quatrième chaise, puis la mère, le fils et, près de moi, le père.

– Amen.

– Vous trouvez ça drôle, Chabert?

– Non, mon colonel, je disais : « Ah mais », ce n'est pas très stable.

– C'est vrai, chef, moi, ma chaise est bancale, renchérit la mère de famille en uniforme.

– Eh bien je note vos remarques. C'est aussi pour cela qu'une reconstitution est utile. Donc je consigne : équilibre précaire et troisième chaise branlante. Bien, maintenant, tout le monde passe sa corde par-dessus la poutre et vous faites un double nœud.

– C'est *Fort Boyard*, marmonna Chabert.

– Plaît-il, lieutenant?

– Rien, mon colonel, je disais : « Faut être gaillard. »

– Quoi? Vous n'y arrivez pas? Parce que si vous n'y arrivez pas toute seule, c'est que la fille n'y est pas parvenue toute seule non plus.

– Mon colonel, le plus grand a pu accrocher les cordes préalablement pour les autres, osa le gendarme qui singeait le fils.

– C'est vrai, il a pu vouloir leur faciliter la vie.

– Suffit, Chabert! Bon, continuons.

Facile à dire! Passer la corde par-dessus la poutre. Tirer sur le bout et faire un double nœud, comme sur les photos. Tu parles de travaux pratiques ! La lieutenante Chabert ne s'en était finalement pas trop mal tirée, idem pour le faux père et le faux fils. Pour la mère de famille, c'était une autre paire de manches. Elle en était à son troisième lancer de corde qui, invariablement, lui retombait sur la tête – son élimination eût été scellée aux jeux Olympiques. Mais la chaise bringuebalante la pénalisait d'un handicap certain. Et que je te jette le bout dans les airs de la main gauche, et que je t'attrape le montant de la chaise Henri II de l'autre pogne parce que ça tangue, et que je me reprends la corde sur la tête, et que je soupire.

– Bon, vous avez fini votre numéro ? éructa son supérieur.

– Mais chef, je vais tomber.

– Mais non ! Vous n'allez pas dégringoler ! Sinon, on aurait retrouvé des ecchymoses sur le postérieur de la mère.

Benoît opta pour un changement radical de méthode :

– Bon, Chabert, aidez-la, parce que, sinon, on y est encore demain matin.

La gendarmette obtempéra. Un pied sur sa chaise, l'autre sur celle de sa collègue, elle semblait maintenant concourir pour l'épreuve reine de gymnastique, ou d'alpinisme, fermement agrippée à sa corde pour ne pas dévisser.

– Mais... Mais non, Chabert ! Vous descendez de votre chaise pour monter sur la sienne et faire son nœud. C'est quand même pas compliqué ! Et vous aussi, descendez ! Vous n'allez pas lui laisser une place sur votre podium Henri II chancelant. C'est pas une arrivée de Formule 1 ! Je commence à comprendre pourquoi les gendarmes préfèrent se suicider avec leur arme de service.

La sainte colère de Benoît porta ses fruits. Un bon gros quart d'heure plus tard, on y était enfin. Humiliée, la mère de famille aurait volontiers passé la tête pour de bon dans la corde, histoire de laver son honneur dans une fin digne et de peaufiner une reconstitution qui serait assurément restée dans les annales de la gendarmerie comme un modèle de conscience professionnelle et d'abnégation. C'était si simple, un coup de talon dans cette chaise qui ne demandait qu'à valdinguer. Mais qu'aurait fait Benoît de ce grand cadavre à la renverse ?

– Assez pour aujourd'hui, on rentre à la caserne.

19

C'était un lundi. Je m'en souviens très bien car, ce jour-là, l'escalope normande que ma mère nous avait préparée pour midi – en remplaçant audacieusement le veau par de la dinde – ne m'était pas restée sur l'estomac : j'avais vomi. Résultat de toute une matinée de contrariétés. L'irrépressible nausée avait point à peine le déjeuner achevé. Pour ne pas tout rendre devant maman, j'avais attendu d'être loin de son regard, sur le chemin qui me menait au supermarché. Un arrêt sur le parking de l'Amnésya, désert à cette heure, et, toutes vannes ouvertes, j'avais dégobillé mes tripes. Les lieux étaient coutumiers des dégueulis de tous acabits. Alors, mes tripes en morceaux de dinde sauce crème fraîche que soulignaient des jets de décaféiné sans sucre : pourquoi pas ? On aurait dit une assiette flasque, mais au contenu disposé géométriquement, style cuisine moderne. Autre chose que le trop classique mélange qui tue whisky-Coca-vodka-orange. À défaut d'être distingué, je sortais de l'ordinaire.

Ce matin-là donc, en arrivant aux abords du supermarché, j'aperçus Fabienne sur le parking « livraisons » qui courait en ma direction, agitant les bras au-dessus de son épaisse et fournie chevelure brune bouclée. On aurait dit une siphonnée tout droit échappée de « Frédéric-Lefébure » – « là-bas », ici, chez nous, c'est ainsi, en le désignant par son nom, que nous évoquons l'asile d'aliénés de notre région.

Fabienne travaillait au prestigieux rayon boucherie-charcuterie-triperie-volailles. Et elle connaissait sa partie, déjà vingt-deux ans que ça durait et qu'elle était dans la bidoche. Au « super », tout le monde l'aimait bien et la respectait. L'uniforme, qui en impose toujours, devait y être pour quelque chose : grand tablier blanc (rarement taché !) qui descendait jusqu'aux sabots et, surtout, un couvre-chef. Elle était la seule du magasin à arborer une toque. Sûr que ça détonnait au milieu des petites débutantes qui arpentaient les allées en gilet rouge obligatoire, façon doudoune, sans manches.

Mais, enfin, parmi les employés du magasin, Fabienne, quarante-trois ans, l'embonpoint de bonne chère qui rassure la clientèle du stand « cochonnailles & salaisons à la coupe », devait sa popularité plus à sa qualité de déléguée syndicale qu'à sa seyante tenue de travail. « Avec ta notoriété, ton bagout et ton capital sympathie, tu pourrais être élue aux cantonales », lui disait-on quand on voulait la charrier gentiment. Mais comme toute bonne blague et toute bonne sauce, il y avait un fond de vérité. Le problème, c'est que Fabienne prenait tout au pied-de-la-lettre-du-premier-degré. « Tu parles, rétorquait-elle avec affliction et fatalisme, le département votera toujours à droite. Ou socialiste. Même pas la peine que je me présente. » Et on sentait là une vocation toute dévouée à l'élévation de la condition ouvrière contrariée par l'inexpugnable atavisme électoral départemental.

Bref, lorsque j'ai vu l'élue frustrée (mais acharnée pasionaria syndicale du supermarché) s'approcher de moi à grande vitesse et de si bon matin, j'ai été interloqué et saisi d'angoisse. À cette heure, elle était censée trancher le lard, pas baguenauder sur le parking « livraisons ». Son empressement à mon endroit était de bien mauvais augure et je redoutais le pire. Peut-être, dans les réserves, avais-je commis une boulette qui avait atterri au rayon boucherie-charcuterie-triperie-volailles. Malgré ma rigueur méticuleuse, je ne suis pas à l'abri d'une erreur. Elle allait m'annoncer que j'avais, par mégarde, provoqué l'intoxication alimentaire de la moitié de la ville. Ça peut arriver plus vite qu'on le pense : un instant d'inattention, et hop ! on balance en rayon des kilomètres de chipolatas aux fines herbes avariées ou des steaks hachés à la salmonelle. On ne rigole pas avec les dates limites de consommation, surtout dans la cochonnaille. Le cauchemar, la porte assurée, sans parler du procès retentissant ni de l'opprobre. En plus, je n'avais pas de quoi me payer un bon avocat. Au tribunal, ça allait se terminer en son et lumière pour mon matricule. Et le directeur me mettrait tout sur le dos : « travail bâclé », « négligence coupable », « faute professionnelle inexcusable ». Viré ! Sans indemnités et sans la moindre circonstance atténuante, alors même que j'étais débordé. Pas surmené, mais débordé de travail, sans jamais être aidé dans ma tâche ni pouvoir partager le poids des responsabilités. Avec un tel palmarès, allez donc retrouver du boulot ! Même comme cariste à l'animalerie Animalis, ils n'auraient pas voulu de moi.

– Ah la charogne ! me lança Fabienne en lieu et place de son quotidien « Salut beau gosse ! » (Elle était décidément très colère.)

J'ai dû me décomposer un peu plus, car elle a aussitôt ajouté :

– Mais non, pas toi !

Je restais interdit, aussi blanc que son tablier immaculé.

– Mais qu'est-ce que tu as ? T'es en nage et blanc comme un suaire… Ah tu savais ? Il t'avait mis dans la confidence et tu nous as rien dit ! Espèce de charogne jaune !

Celle-là, j'ai bien compris qu'elle m'était destinée.

– Mais enfin Fabienne, de quoi tu parles ?

Constatant que ma stupeur n'était pas feinte et que j'étais au bord de l'apoplexie, la bouchère s'attendrit.

– Oh, excuse-moi mon filet mignon. Je suis tellement en colère que je dis n'importe quoi.

Le récit qu'entreprit Fabienne me rassura quant à ses intentions à mon égard. Il n'est jamais bon de susciter l'ire d'une collègue sur le lieu de travail. A fortiori si celle-ci, pour l'exercice de son art, dispose d'une batterie complète de matériel dont on préfère qu'elle use avec maestria sur de la viande déjà froide et, heureusement, animale.

J'étais hors de cause et évitais en conséquence de me prendre un coup de feuille de boucher « Bonne cuisine » lame en inox vingt-six centimètres et manche thermoplastique en pleine gueule. Mais déjà, d'autres motifs d'inquiétude se profilaient.

Alors qu'elle sortait des vestiaires réservés au personnel féminin, où elle avait échangé son manteau et ses boots – remisés dans une armoire métallique fermée à clé – contre une blouse, un tablier, une paire de sabots et sa toque, Fabienne avait trouvé la secrétaire du directeur sur son chemin. C'était de notoriété publique, du moins au sein de l'entreprise, les deux femmes ne s'appréciaient guère : la première jugeant la seconde coupable de sociale traîtrise, ce à quoi l'employée de bureau mise en cause répondait par une condescendance appuyée qui frôlait le mépris de classe. Leurs échanges se limitaient donc au strict minimum, à l'incontournable entre assistante du patron et déléguée syndicale. « Tenez, c'est pour vous », laissa tomber la collaboratrice (du directeur) en tendant à Fabienne une feuille que celle-ci me confiait à présent :

La Direction à l'ensemble du personnel :
Assemblée générale extraordinaire du personnel
ce jour à 8 h précises, zone des réserves.
La Direction

Pour Fabienne, c'était clair : ça sentait « l'entourloupe faisandée ».

– Non mais vise-moi un peu ça. Ah, on peut dire que c'est un beau dégueulasse ! À coup sûr, tu vas voir qu'il va d'abord s'en prendre aux intérimaires. Normal, juste après le coup de feu des fêtes, il n'a plus besoin des filles. Allez, dégagez et bonne année ! Mais bon, ça, on a l'habitude. Attention ! je dis pas qu'on en a pris notre parti. Mais bon, enfin, on est habitués. Sauf que d'ordinaire, il n'a pas besoin de convoquer une AG pour nous l'annoncer. Les gamines savent bien qu'elles peuvent s'en retourner à leurs boîtes d'intérim, à Pôle emploi ou à torcher leurs mouflets, ou les trois à la fois. Donc, là, il y a autre chose. Les négos sur la titularisation des CDD sont en cours. Elles n'avancent pas, mais elles sont en cours. Attention, je dis pas qu'on a renoncé à quoi que ce soit. On discute pied à pied. Il ne peut pas prendre le risque de rompre le dialogue. Rapport au rapport de forces, tu vois ? Conclusion, c'est pour nous ! J'te mets mon billet qu'il va nous annoncer la fermeture du super ! Résultats pas à la hauteur, objectifs pas atteints, crise économique, plan social et tout le blabla ! Tu parles, une charrette oui ! C'est comme ça que ça s'appelle. « Allez, merci bien messieurs dames ! On ferme, faut pas rester ici. Tout le monde dehors ! »

Fabienne était rouge comme une paupiette au bœuf. Impossible d'interrompre sa logorrhée. Et peut-être valait-il mieux que ça sorte, comme une cocotte sous pression, pour éviter l'explosion. Elle ne m'avait même pas laissé descendre de voiture et me parlait, ou plutôt vociférait, à travers l'embrasure offerte par la vitre conducteur que j'avais à peine baissée. Comme au guichet de La Poste, si elle avait été un usager et moi un préposé assis. J'ai regardé ma montre et me suis dit que le temps jouait en ma faveur, comme à La Poste : arriverait bien le moment où l'heure de l'AG extraordinaire sonnerait la fin de son couplet. Huit heures moins vingt, zut !

– Mais attention, on va pas laisser passer ça comme une lettre à la poste. J'ai déjà téléphoné au responsable délégué de la branche « grande distrib » à la centrale, à Paris. Bon, il n'était pas encore arrivé, mais j'ai laissé un message sur son répondeur pour qu'il me rappelle d'urgence. Qu'il fasse bien gaffe, Mônsieur le Directeur ! Je vais lui foutre le feu et lui coller une grève carabinée ! Je vais lui faire la totale : occupation des locaux, séquestration des chefs, et lui le premier ! Palettes enflammées, camions bloqués, banderoles et mégaphones ! Même le préfet qu'a l'habitude dans le coin n'aura jamais vu ça ! Et si ça suffit pas, on lui sortira l'artillerie lourde : la grève de la faim sans préavis et sans limite ! Le travail ou la mort !

J'ai mollement tenté une objection, plus pour endiguer le flot de paroles que par esprit de contradiction :

– Oui mais enfin, s'il veut fermer le magasin et qu'on se met en grève, on ne travaillera pas plus.

Et toc ! Mouchée, la Krazucki du rayon boucherie. Enfin, sonnée comme une catcheuse, elle s'est très vite remise :

– Non mais... Vraiment... Non mais... Mais t'es mou comme une escalope ou tu le fais exprès ?! Tu ne comprends rien à l'action syndicale ! trancha-t-elle dans le vif.

C'est vrai, je n'étais pas très doué pour le militantisme et l'action collective. Les discussions, surtout, me fatiguaient. J'avais toujours l'impression que le camp d'en face rigolait bien pendant qu'on bavassait durant des plombes et qu'au final, on avait presque tout perdu, et « le combat » et surtout pas mal de salive.

De notre échange, Fabienne conclut qu'elle n'était « décidément pas aidée » et qu'elle devait « décidément tout faire elle-même ».

À huit heures moins dix, remontée comme une pendule, elle attendait de pied ferme le directeur au beau milieu de mes réserves. Les lieux étaient déjà encombrés du personnel au grand complet qu'on aurait dit stocké là, telle une palette de salariés dans l'attente d'être dispersée en rayons pour satisfaire la clientèle. La petite troupe de SMIC horaire était traversée de conversations fébriles : la rumeur de la fermeture définitive s'était répandue à la vitesse d'un message promotionnel pour le carburant sans plomb diffusé par haut-parleurs. Un petit groupe d'intérimaires en gilet rouge tenait conciliabule dans un coin, près des haricots blancs en bocaux. Dix-neuf ans en moyenne, plutôt mignonnes en dépit de la doudoune sans manches, elles avaient l'air paniqué. Leur appréhension était bien compréhensible. Après tout, elles allaient connaître le premier licenciement de leur carrière. Fabienne n'avait pas beaucoup de commisération à leur endroit : « Ça les déniaisera. Et de toute façon, elles sont bien placées pour savoir que tout a une fin, à commencer par un contrat. » Moi, ces filles, elles me faisaient mal au cœur. La petite blonde surtout, Nathalie je crois, semblait au bord des larmes, elle n'arrêtait pas de renifler. Puis je me suis souvenu qu'elle s'était enrhumée en cavalant sept heures par jour entre mes réserves et l'allée des produits laitiers – une des plus hostiles du magasin où régnaient en permanence les basses températures. Sa petite nature n'avait pas supporté le choc thermique. Voilà qui expliquait que son petit bout du nez soit assorti à son gilet.

Le directeur arriva flanqué de sa secrétaire. Fabienne s'était positionnée au premier rang, juste en face de la caisse de vingt-quatre conserves premier prix sur laquelle le chef montait à présent pour nous haranguer, de haut donc. La déléguée syndicale suivait à la lettre les principes de base de la « conversation gestuelle appliquée à la négociation », qui lui avaient été enseignés au cours d'un stage de formation continue dispensé par sa centrale aux cadres « confrontés aux situations de crise en entreprise ». Elle se tenait bras croisés, les jambes un peu écartées, la nuque raide et le regard droit. Elle aurait pu ressembler à un sumo si elle s'était penchée en avant et s'était tapée sur les cuisses. Mais, immobile, elle optait pour la posture du « défi en duel », ambiance *La fièvre monte à El Pao*. J'ai tout de même penché la tête pour vérifier qu'elle n'avait pas glissé une feuille de boucher vingt-six centimètres à l'arrière de sa ceinture, prête à dégainer et à l'envoyer se ficher entre les yeux du patron car, comme elle le rappelait souvent en évoquant l'un des aspects les moins conviviaux de sa spécialité professionnelle : « Moi, découper une tête de cochon, ça me fait pas peur. »

– Bon, tout le monde est là ? s'est enquis le directeur auprès de son assistante. Alors on va pouvoir commencer. Bonjour à tous. Si je vous ai réunis, c'est pour vous annoncer une bonne nouvelle. (Il avait dû récolter de bonnes notes en catéchisme, ai-je songé.) La vie est précaire, l'amour est précaire, pourquoi le travail ne le serait-il pas ? (Cynisme et sophisme pour le même prix.) Vous le savez tous, les temps sont durs, et pour tout le monde. (Il attaque fort, la charogne, se dit Fabienne, demeurant impassible.) Nous devons nous adapter, vivre avec notre temps et évoluer. Car ceux qui n'évoluent pas sont condamnés à disparaître. (Je ne voyais pas très bien arriver la bonne nouvelle dans ce prêchi-prêcha darwinien.) Ainsi, mes amis, j'ai le plaisir de vous annoncer que nous allons agrandir le magasin. Pour cela, nous allons mordre sur les réserves. Que tout le monde se rassure, contrairement aux rumeurs répandues par des calandres, vous aurez toujours autant de travail, peut-être même plus !

Je tentais de comprendre ce que le directeur avait voulu insinuer en assimilant notre déléguée syndicale à la grille de ventilateur d'une automobile, lorsque j'ai vu Fabienne tituber. C'est vrai que ce n'est pas très agréable d'être comparé à un accessoire de bagnole de bon matin et devant tous les collègues. Elle avait décroisé les bras et, de justesse, évité la chute en agrippant un gilet rouge qui se trouvait à sa droite. Le directeur l'avait proprement déséquilibrée et venait de prendre un sérieux ascendant dans le tournoi de sumotori. Il arborait un sourire dont je n'aurais su dire s'il s'agissait de celui d'un bonimenteur de foire ou d'un curé facétieux, heureux de l'effet produit sur ses ouailles par un sermon inattendu. Il prit en tout cas le temps de savourer le résultat, les murmures échangés ici ou là se coagulèrent pour très vite tourner au brouhaha. Chacun y allait de son commentaire :

– Bon, alors, on ferme pas ?

– Ben non, on s'agrandit !

– J'y comprends plus rien.

– Tout à l'heure Fabienne disait que...

– Oh celle-là, ça va, hein.

– Mais alors on va faire d'autres heures sup ?

– C'est vraiment une bonne nouvelle.

– C'est toujours ça de pris.

– On commence quand ?...

La môme Nathalie s'était mise à pleurer pour de bon, mais cette fois, de joie. Elle avait obtenu au moins un sursis et son contrat serait peut-être même prolongé. Seule Fabienne demeurait muette, encore sonnée par ce qu'elle venait d'entendre. Elle avait crié au loup et allait maintenant passer pour une cruche jusqu'auprès du délégué de la branche grande distrib de sa centrale. Je me contentais de répondre aux sourires des collègues soulagés par de petits signes de la main. Pour ma part, j'étais loin d'être rasséréné. Une contrariété chassait l'autre. « On va mordre sur les réserves », avait dit le patron. Donc empiéter sur mon domaine. Qu'on ne se méprenne pas, rien d'égoïste là-dedans, pas plus que d'orgueil mal placé. Mais si on m'avait consulté, j'aurais, respectueusement, fait remarquer qu'on ne touche pas aux réserves, sauf en cas de force majeure. Les réserves, c'est un peu comme le Codevi ou le Livret A, il faut une bonne raison pour les entamer et, même ainsi, on prend toujours le risque de maudire l'avenir. C'était en tout cas ma conviction, dont tout le monde se fichait puisqu'on ne m'avait pas demandé mon avis.

– Mes amis, mes amis, je comprends votre surprise et je devine votre enthousiasme, reprit le directeur. Mais – et je vous demande toute votre attention – sachez que cette décision nous est dictée par l'absolue nécessité. Je ne vous cacherai pas que nos marges s'affaissent, que dis-je? elles s'effondrent notamment sous la pression toujours plus forte des producteurs et des fournisseurs. Avec la direction à Paris, nous avons donc décidé de réagir : nous allons vendre plus pour gagner autant! Bref, nous misons tout sur la politique de l'offre, mais je ne vais pas vous assommer avec le jargon technocratique et la macro-bio-économie. En résumé, nous vendrons plus d'articles, mais moins cher et en plus grandes quantités. Voyez que je ne vous cache rien. Va donc falloir se retrousser les manches et y mettre de l'huile de coude.

– Nous y voilà. Ah la charogne, murmura Fabienne pour elle-même, son empressement à dénoncer prématurément les supposés funestes desseins de la direction la disqualifiant à partager ses commentaires avec les collègues.

– Nous travaillons sur le dossier depuis un an, poursuivit le directeur. Tout a été calculé au millimètre. Nous sommes aux premiers jours de janvier, deux semaines de travaux – qui perturberont à peine votre quotidien – seront nécessaires pour créer l'extension. Comme je vous le disais, nous allons mordre sur les réserves : ici même où nous nous trouvons actuellement. Rien de bien compliqué, nous allons repousser la cloison et installer sept caisses supplémentaires.

Voilà. J'ai donc la fierté et le plaisir de vous annoncer la naissance de notre Super-Hard-Discount !

Succès assuré et tonnerre d'applaudissements.

– Est-ce qu'il y a des questions ? Parce qu'une journée de travail nous attend…

Après avoir claqué des mains avec mes camarades, j'ai osé en lever une.

– Excusez-moi, Monsieur le Directeur, mais il y a quelque chose que je ne comprends pas… Que je voudrais savoir… Enfin, voilà, je me demandais comment on peut agrandir la surface de vente en réduisant celle des réserves, sachant que l'achalandage de la première dépend du flux des stocks passant dans la seconde ?

Je ne m'attendais pas à ce que ma question provoque quelques rires gras dans l'assistance. J'étais rouge de honte. Mais le directeur est venu à ma rescousse :

– Non, non, ne riez pas. C'est une bonne question, jeune homme. Elle est tellement bonne que la réponse est dans la question. (Les rires se sont aussitôt interrompus.) En fait, voyez-vous, vous auriez raison de vous inquiéter si nous devions réceptionner et stocker les nouveaux produits que nous allons vendre. Dans ce cas, en effet, nous aurions même besoin de plus de place dans les réserves. Mais c'est là tout le coup de génie ! Les articles que nous allons vendre en plus, ils sont déjà là ! Dans nos murs.

Re-brouhaha général comme après un tour d'illusionniste réussi. Notre Mandrake de supermarché était aux anges, il avait trouvé son public et le tenait.

– Bon, allez, c'est pourtant simple... Vous avez une idée... ? Vous savez de quoi il s'agit... ? (Ça tournait maintenant au jeu télévisé.) Non ? Vraiment personne ? C'est pourtant simple et ça vous crève les yeux. Je vais vous donner le secret : toutes ces DLC, ces DLV et ces « À consommer de préférence avant le... » qui nous empoisonnent, tous ces produits qui nous restent sur les bras et dont nous ne savons que faire sinon les jeter à la poubelle. Eh bien c'est bien simple : nous allons les vendre ! (Il marqua un temps dans un silence incrédule.) Vous pensiez qu'ils étaient invendables, eh bien non ! Les études sont formelles. Des tests ont même été réalisés avec succès. Nous allons les vendre ! Nous allons les vendre, mais un peu moins cher. C'est tout. Vous avez noté que tout à l'heure, je vous ai parlé de super-hard-discount. Pas d'un supermarché discount ou d'un simple hard-discount. Nous allons inventer le super du futur. Tous ces produits encore bons à consommer et qui ne demandent qu'à l'être. Tous ces clients qui se serrent la ceinture et qui se privent. Nous allons écouler les premiers pour satisfaire les seconds. Tout le monde sera content : il n'y aura plus de gaspillage, nous allons renouer avec nos marges, remplir les estomacs de la crise et vous, vous conservez vos emplois !

Applaudissements et sifflets de jubilation. Un vrai meeting électoral.

Cette fois je n'avais pas participé à la claque et j'ai levé la main d'un geste décidé :

– Mais, Monsieur le Directeur, tous ces produits dont vous parlez, ceux qui n'ont plus que quelques jours avant que leur date de péremption expire, nous ne les jetons pas ! Enfin si, mais une petite partie seulement. Le reste, nous le donnons... Enfin, c'est la Banque alimentaire qui vient les récupérer pour les nécessiteux. Donc si on se met à les vendre demain comment va-t-on faire... Enfin, comment vont-ils faire...

– Jeune homme, je vous arrête tout de suite. D'abord, si des gens les consomment, ça démontre qu'ils sont encore consommables. Et ce qui est consommable, je peux le vendre ! Quant à vos scrupules, car ce sont bien des scrupules que vous semblez exprimer, je vais vous dire : vous préférez quoi ? Contribuer à entretenir l'assistanat, maintenir les gens dans la dépendance, encourager l'oisiveté, flatter le moindre effort et la fainéantise, bref, donner de la confiture aux cochons, ou bien vous retrouver au chômage ? Parce que je vous préviens, si vous continuez comme ça, vous aurez les deux, vous serez au chômage et vous ferez la queue à la Banque alimentaire ! Mais comme le supermarché aura fermé... ils n'auront plus rien à vous donner à manger ! Allez, ne faites pas cette tête-là, je plaisante !

Le baratineur-cureton-magicien-en-campagne-électorale avait mis les rieurs de son côté. Et il s'en est trouvé, ce matin-là, des rieurs pour s'esclaffer à la bonne blague. Un peu comme autrefois, par superstition, on faisait du bruit pour éloigner le Malin et le malheur. La peur, en somme, excuse bien des saloperies.

Fabienne m'a adressé un regard triste et compatissant. Nathalie riait à gorge déployée. J'ai cru que j'allais éclater en sanglots. Mais j'avais trop mal à l'estomac pour ça.

20

On avait poussé les murs et moi avec. Du jour au lendemain, je m'étais retrouvé remisé, confiné dans mes réserves réduites à la portion congrue. Du chambardement, j'avais pu sauver les deux mugs « Coupe du Monde de football 1982 », le verre à limonade et mon poste de radio. Pour passer derrière mon bureau, j'étais désormais obligé de me contorsionner et de glisser mes cuisses contre le bord de la table, les fesses à touche-touche avec le mur. J'avais perdu en espace et en tranquillité. Derrière la cloison en Placoplâtre, j'entendais les « Bip ! Bip ! Bip ! Bip ! » émis par les codes-barres des articles qui défilaient devant les sept nouvelles caisses à lecture optique. J'avais eu un peu de mal à me concentrer durant les deux premiers jours, puis je m'étais habitué. On se fait à tout.

Nathalie et ses copines étaient au nombre de la douzaine d'heureuses élues intérimaires dont la mission avait été prolongée. Fabienne, elle, se targuait d'avoir décroché une belle victoire, puisque tous les CDD avaient été titularisés. Mais depuis le jour de l'assemblée générale extraordinaire, elle avait perdu de sa superbe et de son crédit auprès des collègues. Avec ses histoires de fermeture définitive, elle avait fatigué tout le monde. Et le personnel savait bien que c'était au directeur, et non à elle, que l'on devait les nouvelles embauches, fussent-elles à l'essai, fussent-elles à temps partiel. J'étais un des derniers à lui adresser encore la parole.

– Tu sais, c'est injuste, me confia-t-elle un jour qu'elle était en veine de confidences, un de mes mugs à la main. Tu verras, elles ne vont pas tarder à déchanter, les filles. D'ailleurs, tu sais qu'ordre a été donné de recruter prioritairement des filles, parce qu'elles sont réputées plus dociles ? Ça promet.

Pour le coup, la déléguée syndicale avait vu juste. Les filles n'ont pas tardé à découvrir l'enfer du décor. Le mot d'ordre, c'était la « po-ly-va-lence » des employés. Les petites mains devaient aussi jouer les gros bras : passer des caisses à la manutention, participer aux mises en place, au grand ménage et au petit entretien et même faire la police pour réduire au minimum la « démarque inconnue », pudique litote pour qualifier les chapardages. Une véritable plaie, les vols, et une obsession pour la direction qui, pourtant, n'avait pas installé de portiques électroniques. Du coup, c'était aux hôtesses de caisse de s'y coller : scruter le fond des Caddies, soulever les packs de bouteilles d'eau, inspecter les cabas, se méfier des poches un peu trop pleines pour être honnêtes, voire, en cas de forte suspicion de fauche, ne pas hésiter à fouiller les landaus, sous les couffins, une planque idéale. Les Arsène Lupin de supermarché avaient une prédilection pour les piles, les mi-bas et les pinces à épiler. Sans en avoir vraiment besoin, juste parce que ça se dissimule et s'escamote facilement. J'ignorais qu'il y avait autant de cleptomanes dans la nature. Il fallait, encore, lutter contre la « fraude astucieuse ». S'assurer de l'authenticité des billets – même de dix –, par transparence, par inclinaison, au toucher, à l'épaisseur. Toujours demander une deuxième pièce d'identité pour les règlements en monnaie scripturale. Parfois, ça passait mal auprès des clients qui envoyaient balader les caissières : « La confiance règne ! », « Non mais vous voulez pas mes empreintes digitales, tant que vous y êtes ? », « Et mon cul ? T'as pas regardé dans mon cul ! » Obligation de garder le sourire en toutes circonstances.

Les gamines encaissaient donc, au sens propre comme au sens figuré, stoïques et au garde-à-vous avec ça. Aux caisses, les inconfortables tabourets qui autorisaient à peine une station assis-debout avaient été supprimés. Il paraît qu'une étude scientifique, réalisée par des experts de la « force de vente », démontrait que « la rentabilité s'améliore lorsque l'hôtesse de caisse est debout, traitant un Caddie moyen en 2 minutes 10 secondes contre 2 minutes 30 secondes lorsqu'elle est assise ». Y avait donc pas photo, et tant pis pour les jambes lourdes. Ce n'est pas, encore, ce qui sollicitait le plus le physique. Les filles devaient aussi s'activer à la manutention. J'apportais encore les palettes jusqu'au milieu des allées, mais ma mission s'achevait là. À elles d'organiser la mise en place, fissa s'il vous plaît ! Quand il s'agit de biscuits apéritifs, ça va encore. Mais les choses se corsent avec les packs de vingt-quatre canettes de bière ou pis, les sacs de vingt litres de litière pour chat. Ce que redoutaient le plus les po-ly-va-lentes, presque des omniscientes de grande surface, c'étaient les « implantations de nuit ». Les mètres de linéaires avaient déjà été sensiblement allongés et impossible d'y couper. Lorsqu'une nouvelle référence arrivait en magasin, il fallait la disposer en rayon sans attendre, en bousculant les autres produits et en changeant toutes les étiquettes, quitte, donc, à y passer la nuit, bien sûr enquillée par une classique journée de travail.

La secrétaire du directeur n'a pas eu à patienter jusqu'à l'approche des premières vacances scolaires pour collecter les arrêts maladie. Très mal vu, les arrêts maladie ! « Ça, c'est la botte secrète des tire-au-flanc, la martingale des fainéants », lâchait dédaigneux le patron lorsqu'il était contraint de parapher le volet « employeur » du formulaire marron à envoyer à la Sécu, bien content tout de même que la collectivité prenne en charge les indemnités journalières des « abonnés au tournage de pouces » qui, au passage, perdaient leurs trois jours de carence. Sachant le sort réservé aux « bons à rien plus proches de la porte que de l'augmentation », seuls ceux qui disposaient d'une certaine ancienneté (s'imaginant, les naïfs, qu'elle attestait leur dévouement) se risquaient à produire un certificat médical.

En revanche, les plus précaires, en particulier les derniers et dernières arrivés, serraient les dents et les fesses, prenaient leurs maux en patience comme en silence. Le super-hard-discount avait des allures d'hôpital de jour : lombalgies, douleurs irradiantes dans les jambes, troubles musculo-squelettiques et états dépressifs chroniques trahis par des sanglots dans les vestiaires. On aurait pu ouvrir un musée des pathologies.

Quant à la franche camaraderie, elle était depuis belle lurette passée par pertes, à moins que ce ne soit par profits pour l'enseigne. L'ambiance se dégradait aussi vite que les cals apparaissaient aux jointures des paumes.

En somme, nous étions réduits à l'état de marchandise. Tout était bon à exploiter, même les produits presque périmés. Alors, pourquoi pas des employés à demi éclopés ? Mais lorsque la marchandise vient à manquer, on la renouvelle. Ce n'était pas le cas pour nous. Les arrêts longue maladie et les affections longue durée n'étaient pas remplacés. La gestion du sous-effectif était devenue une méthode de management. Ceux qui restaient se voyaient contraints d'assurer la tâche des souffreteux alités et finissaient bien vite par leur en vouloir.

Pas plus efficace pour instaurer et entretenir un climat délétère, de peur, de ressentiment, d'animosité, de haine. De merde. Mortifère.

21

J'avais le cœur au bord des lèvres et pourtant, je n'avais pas su lui dire que je l'aimais. À présent, c'était un peu tard. J'étais désormais privé du prétexte bihebdomadaire qui me permettait de retrouver Caroline sur le parking « livraisons ». Le directeur s'était chargé en personne de lui annoncer la nouvelle : « La Banque alimentaire, ça me fait pas peur ! Moi je sais leur parler aux banques. Et moi aussi, je suis dans l'alimentaire ! J'm'en vais leur causer, moi, aux bons-Samaritains-du-pauvre ! On va se comprendre. Enfin, moi, en tout cas, j'me comprends ! » Avec un vocabulaire que j'imaginais fleuri et sur une intonation au défoliant, le patron avait assené que les denrées de son magasin, autrefois tout juste bonnes à remplir les poubelles, restaient, même défraîchies, de trop grande qualité pour les estomacs de la Banque alimentaire. Sans doute quelque chose dans le genre, mais plus dans le style *Orange mécanique*.

Caroline n'avait plus de raisons de me voir. Je ne lui étais plus d'aucune utilité, comme un dealer sans came ou, plutôt, qui aurait trouvé de meilleurs débouchés auprès de junkies prêts à se saigner aux quatre veines pour s'y injecter une dope coupée et pourrie. Je veux parler des clients du super-hard-discount, qui avait démarré sur les chapeaux de roues. Et même une fois l'effet de nouveauté dissipé, l'affluence n'avait pas fléchi.

Comme d'autres jouent à guichets fermés, on fonctionnait toutes caisses ouvertes, à plein régime et à fond les manettes, du matin au soir. Un peu plus, on aurait refusé du monde. Surtout en début de mois, et en fin de semaine de début de mois… Enfin, je veux dire, en particulier les premiers samedis suivant le versement des allocations chômage, ou des allocations logement, ou parent isolé, ou adulte handicapé, ou du minimum vieillesse... Je ne sais pas si vous suivez, mais moi « j'me comprends ». Lors de ces périodes aussi cruciales que récurrentes, la direction avait instauré un système de filtrage de la clientèle. En clair, on interdisait momentanément l'accès du super-hard-discount le temps que les caisses « décongestionnent ». La mécanique des fluides appliquée pour que coule un maximum de liquidités. Même debout, les gamines aux caisses ne parvenaient pas toujours à suivre. Bourrage maximal pour rendement optimal, soit. Mais parfois, ça coinçait sec à l'encaissement, façon constipation. En cas de sérieux embouteillage à nos péages, les chefs de rayons avertissaient la secrétaire du directeur qui, en bon petit Bison Futé de supermarché, ordonnait qu'on bloque l'entrée du magasin aux nouveaux arrivants. « Le rouge est mis ! » : le taulier se frottait les mains lorsqu'il apprenait la bonne nouvelle et n'oubliait jamais de flatter la croupe du Bison pour signifier son contentement.

Les deux premiers samedis du mois, la direction embauchait des vigiles pour assurer l'efficacité du filtrage. Il n'avait pas fallu chercher bien loin pour dégoter ces extramusclés : ils ne travaillaient à l'Amnésya qu'à partir de 23 h 30 et ne crachaient pas sur quelques billets en plus, au black, comme eux. Coup de chance ! Certains jours, on aurait même pu leur payer une rallonge pour assurer l'ordre public dans les allées, voire faire le coup de poing en rayon.

Lors des promos exceptionnelles, en particulier au rayon « viandes », on frôlait parfois l'émeute et le match de catch. Au début, ça joue gentiment des coudes et à la loyale pour s'emparer d'une barquette « assortiment de bœuf, 12 pièces » à 5,22 euros le kilo. À ce prix-là, ça crée des bataillons de carnivores affamés. Et vlan ! un malencontreux coup de Caddie dans celui du voisin. « Désolé ! » Hop, emportée, la barbaque ! Ni une, ni deux. Jusque-là, ça reste encore fair play. Mais arrivé aux trois dernières cagettes en polystyrène, il n'était pas rare que six à huit prétendants commencent à hausser le volume sonore :

– Ben vous gênez pas !

– Oh, ça va, hein ! C'est une par personne et vous avez déjà des côtelettes.

– Je vois pas le rapport !

– M'étonne pas, chez vous on comprend pas grand-chose.

– Quoi ? T'insultes mon pays ? Je suis autant française que toi !

– Suffit pas de manger du cochon pour devenir français !

– T'insultes ma religion maintenant ? C'est sûr que ta couperose, elle te sert de carte d'identité.

– J'vais t'casser ta bouche, toi !

Etc.

Lorsque le dialogue en était à ce point dans l'allée « primeurs », l'objet des convoitises concurrentes pouvait vite se mettre à voltiger. L'inconvénient, avec les fruits et légumes en bout de course, c'est que, comme projectile, c'est un peu salissant. En particulier les tomates trop mûres. On n'avait pas encore eu droit au sang sur les murs, mais le tapis de sol façon marmelade, c'était fréquent.

Depuis mes réserves, je ne voyais pas grand-chose. Ce sont les collègues qui me donnaient des nouvelles du front. Mais ça n'allait pas durer, j'en étais persuadé. J'avais misé sur un essoufflement suivi d'un effondrement du super-hard-discount.

En premier lieu, la direction avait jugé superflu d'engager les frais d'une campagne publicitaire pour sa nouvelle enseigne à prix cassés. Pas même une affiche 4x3 à la sortie de la ville, juste avant la rocade. Compter sur le bouche à oreille, ça n'a qu'un temps…

Ensuite, l'approvisionnement était tributaire des produits déclassés quelques mètres plus loin, dans le « vrai » supermarché. On ne trouvait pas de tout, ou pas tout le temps, ou en quantité limitée. Au moins, à la Banque alimentaire, ils n'étaient pas bégueules. Mais quand on paye, ne serait-ce que trois francs six sous, on peut se montrer exigeant. Pour l'heure, on compensait avec des produits premier prix pour garnir les linéaires. La vente à perte, ça va un moment...

Enfin et surtout, je croyais bien avoir identifié la faille consubstantielle au super-hard-discount. Je dirais même, systémique ! J'avais des réminiscences de classe de seconde, section « ES ». Nos clients les moins pauvres n'étaient pas plus cons que les autres. Un peu plus fiers, mais pas plus cons. Ils finiraient bien par comprendre qu'ils payaient plein pot des articles qui finiraient bradés pour peu qu'ils patientent un peu. Par conséquent, du moins ça me semblait logique, le super-hard-discount niait les fondements mêmes du capitalisme et sciait la branche pourrie sur laquelle tout le magasin était assis. Pourquoi casquer le prix fort quand il suffit d'attendre la promo, aussi inéluctable que la putréfaction des aliments ? Le chiffre d'affaires du supermarché classique devait donc, à terme, se casser la gueule. C'était mathématique. Bien sûr, il fallait avoir envie de s'envoyer douze côtelettes en deux jours. J'avais pensé à ça aussi. Comme, autrefois, certains espoirs et certains espions, la solution venait du froid. Un congélateur et le tour est joué ! Bon, c'est vrai, encore fallait-il avoir les moyens de se payer un congélo. J'avais gambergé.

En promo chez Leroy Merlin, le congélateur table top – volume utile 91 litres – 1 abattant – pouvoir de congélation 9 kg/24 heures – 2 compartiments tiroirs transparents – 1 compartiment avec porte transparente – 4 étoiles – classe A – coloris blanc était à 219,99 euros. Plus 13 euros d'éco-participation, mais là, le vendeur pouvait sans doute faire un geste. Il résultait de mes calculs qu'une famille de quatre personnes allant s'approvisionner en début de mois au super-hard-discount amortirait son congélateur en à peine un an et demi. Surconsommation d'électricité comprise ! C'est un peu comme le collecteur d'eau de pluie ou la machine pour fabriquer le pain soi-même. Au début, on a toujours l'impression d'une grosse dépense pour des économies de bouts de chandelles. Il faut apprendre à être patient. Et puis, avec le crédit gratuit trois fois sans frais, c'est jouable.

Congélateur ou pas, le super-hard-discount finirait bien par aller dans le mur. Et sans klaxonner, nous n'avions pas de budget pub. Moi aussi, je n'avais qu'à être patient, m'asseoir sur le bord de la rivière pour voir passer le corps de mon ennemi. Tôt ou tard. Mais pendant ce temps ? Et en attendant ? Dans six mois, dans un an, les abonnés de la Banque alimentaire finiraient bien par manger, mais des pissenlits par la racine ! Je n'allais quand même pas attendre que les crève-la-faim finissent par en mourir. Il fallait que j'agisse. Que je sorte de mes réserves. Je me suis mis à échafauder des plans pour escamoter de la marchandise et la refiler en douce à mes amis. Pour la manutention, j'avais besoin d'un homme costaud et de confiance. Francis serait le bon complice. Autre avantage, si on tombait, il avait une certaine expérience des gardes à vue. Quant à maquiller le forfait, c'était mon affaire. Je disposais de liasses entières de bordereaux vierges. Verts pour les livraisons, roses pour les retours. Je n'avais qu'à intercepter les premiers et fabriquer de faux documents plus vrais que nature. J'allais monter mon petit réseau de Résistance à moi tout seul. Même pas besoin de passer dans la clandestinité, il suffisait d'être discret. Je comptais magouiller sur les quantités : je réceptionnerais deux cents barquettes de « steak haché Desperado, 15 % de matière grasse », j'en barboterais une vingtaine avant de les refiler en douce à Francis, passerais le bordereau de livraison à la broyeuse pour le remplacer par un faux, fabrication maison, attestant que l'on n'avait reçu que cent quatre-vingts barquettes de bidoche. Les contrôles étaient rares et, de toute façon, personne ne mettait son nez dans la paperasse rangée dans mes classeurs noirs qui prenaient la poussière.

Le plus long a encore été de dégoter la police de caractères idoine sur Internet. Drôle d'appellation pour un style calligraphique. Pourquoi pas la « gendarmerie de la mise en page », les « forces de l'ordre de la syntaxe » ou les « compagnies républicaines de la ponctuation »? Bref, j'ai fini par trouver la Trebuchet MS. À ne pas confondre avec la Segoe Media Center Semibold. J'avais confondu. Corps 13, non gras. Encore quelques dizaines d'essais – mon souci de la perfection qui, en l'occurrence, nous éviterait sans doute la prison à Francis et à moi – et j'étais fin prêt pour détourner de la bidoche par quintaux, des laitages par hectolitres et des sous-vide par milliers. Si j'avais su... Rétrospectivement, j'en rigole... Enfin, pour ne pas trop entamer l'encre noire, j'avais réalisé mes tests avec la cartouche bleu outremer de l'imprimante maison. Est-ce que je pouvais prévoir, moi, que je serais bientôt très embarrassé de ne plus disposer d'une goutte de bleu outremer pour tirer un schéma en couleurs du nœud de laguis pour corde à pendu? Non, bien sûr. Qui peut anticiper ce genre de contingences? Après tout, ce n'est pas ordinaire de débuter une carrière de faussaire et de se lancer dans le suicide-mode d'emploi dans un laps de temps aussi bref. En plus, j'ai toujours soupçonné les fabricants de consommables pour ordinateurs d'être un peu chiches dans le remplissage des cartouches d'encre.

Si j'avais su, donc, j'aurais économisé un peu de coloris bleu outremer. J'aurais pu imprimer le schéma et je n'aurais pas mis toute la famille en retard au moment de nouer nos dernières cravates. Mais, après tout, c'est le résultat qui compte, non ? Et on ne s'est pas ratés.

22

Je pensais tellement à Caroline que j'avais l'impression de ne jamais la quitter. Alors, pour qu'elle ne devienne pas trop envahissante, je suis parti à sa recherche.

Ça m'a pris un soir au cours duquel j'avais décoché au maximum quatre ou cinq mots et chipoté dans les petits légumes qui cernaient ma volaille de Bresse : petits pois, carottes nouvelles, petits oignons – nouveaux eux aussi, mais revenus à la poêle. Presque une jardinière.

– Qu'est-ce qu'il y a ? s'est inquiétée ma mère. Tu n'as rien mangé. Tu n'es pas malade au moins ?

– Mais non…

Hop, deux mots de plus, à peine soufflés avec lassitude.

Ma mère. Même maman désormais m'horripilait lorsqu'elle me contraignait à formuler une phrase qui éloignait un tant soit peu mes pensées de Caroline. Ma mère. Ma mère qui s'inquiétait pour ma santé parce que je ne bouffais rien... Il ne lui serait jamais venu à l'esprit que je pouvais ne pas apprécier ce qu'elle nous avait préparé. Encore moins que ce ne soit pas bon. Non ! Si on ne raclait pas le fond du plat, c'est qu'on frôlait l'anorexie ! Enfin, qu'on était détraqué. Au moins patraque. C'est vrai que Caroline me bouffait la tête. Tout comme mon plan de marché noir (bénévole), à but non lucratif et humanitaire au profit de la Banque alimentaire, m'obsédait. Je devais absolument lui en parler.

Je me suis levé, j'ai posé mes couverts en croix dans mon assiette encore pleine avant de débarrasser le tout vers la cuisine. Bien décidé à déserter avant la fin du repas, je ne voulais pas, de surcroît, infliger à ma mère le spectacle de sa dernière création culinaire dédaignée et refroidissant sur la table.

– Excusez-moi. Excuse-moi, maman. Je n'ai pas faim, c'est tout. Je crois que je vais sortir. Faire un tour. Prendre l'air.

Je n'ai pas compté, mais j'avais dépassé mon quota de mots. Assez pour ce soir.

– Tu sors ? s'est encore inquiétée ma mère.

– Ne t'en fais donc pas, je suis sûre qu'il sera rentré pour l'heure du souper.

Parfois, sœurette pouvait être agaçante, à la limite du désagréable.

– Mais je n'ai pas prévu de souper ! s'est écriée maman.

– Je sais, mais c'était pour te donner une idée de l'horaire.

J'en étais à presque haïr ma sœur lorsqu'elle se délectait du sadisme qu'elle exerçait sur notre mère. Ça me rappelait les cours de sciences nat que je détestais et où j'étais nul (sans doute parce que je les détestais, à moins que ce ne soit l'inverse). Nous ne pratiquions pas de vivisection. Pas de grenouilles à disséquer vivantes avant de les torturer à l'acide « pour mieux comprendre le mécanisme des réflexes musculaires qui s'apparentent à des impulsions électriques » (4,5 sur 20 à l'épreuve théorique). Mais, revêtus de nos blouses blanches ignifugées pour ne pas brûler vifs comme des cons à proximité de nos becs benzène, nous nous ingéniions tout de même à martyriser de malheureuses souris. Le jeu consistait à faire tourner un rongeur en bourrique : la souris à l'entrée d'un labyrinthe en carton miniature (mais géant pour elle), un morceau de gruyère au milieu et trente-cinq crétins en blouses blanches tout autour qui s'égosillent pour l'encourager à aller se taper la cloche. « Trouvera-t-elle le chemin qui la mènera à la nourriture ? » Bien plus tard, je me suis demandé si ce cours ne m'avait pas conditionné – toutes proportions gardées – à travailler dans un supermarché. J'avais écopé d'un 6,5 sur 20 à l'exercice pratique. Le calcul est vite fait, ce n'est pas avec 5,5 de moyenne qu'on entame une carrière, encore moins qu'on se découvre une vocation. N'ayant jamais sévi dans la même classe que ma sœur, j'ignorais si elle avait trouvé un quelconque intérêt à pourrir la vie des pauvres souris. Mais elle a toujours eu de meilleures notes que moi. De là à imaginer qu'elle prenait désormais un malin plaisir à faire tournicoter maman dans des discussions aussi absurdes qu'interminables... Le dialogue de sourds à la place du labyrinthe et l'instinct maternel en guise de morceau de fromage.

– Mais à quelle heure on soupe? Nous, on ne soupe jamais...

Désemparée, maman n'était pas loin de perdre pied.

– Arrête, maman. Sœurette plaisante. Je ne rentre pas tard. C'est promis ! ai-je tenté de l'apaiser dans un large faux sourire suivi d'un authentique et sincère baiser sur le front.

Avant de franchir le seuil de la porte, j'ai songé à lancer un de mes regards noirs à ma sœur dont j'imaginais la jubilation. Mais non, même pas. Son visage était inexpressif. Ni gaie ni triste, elle fixait le bord du repose-plat, pendant que ses doigts formaient machinalement de petites boulettes de mie de pain. Alors, pas de méchant regard. Et de toute façon, je n'aurais jamais fait de mal à ma sœur.

– Allez, bonne soirée à tous !

– Bonne soirée fiston ! a soudain clamé mon père dont on avait presque oublié la présence à la table et qui, en dépit des apparences, n'avait donc pas perdu l'usage de la parole.

J'ai débuté ma ronde au hasard, comme un chauffeur de taxi en maraude. Ce n'est pas de cette façon, au petit bonheur la chance, que j'allais tomber sur Caroline. Sauf très improbable coup de veine. Mais par où commencer ? En somme, je ne savais rien d'elle, ni où elle habitait, ni son nom de famille. Même un annuaire m'aurait été inutile. « Ce n'est pas le tout de savoir ce que l'on cherche, encore faut-il savoir où chercher. » Ah, ça… J'avais toujours tenu cette maxime, une des nombreuses dont ma mère avait le secret, pour complètement stupide. Car si on sait où chercher, c'est qu'on n'a rien perdu. Mais ce soir-là, je compris ce qu'elle voulait dire. Pardon, maman.

Je me suis dirigé vers le centre-ville. Comme ça, pour voir, sait-on jamais. À faible allure, presque en roulant au pas, je suis passé devant l'auto-école de Denise et Michel où ma sœur n'assurait plus qu'une présence épisodique. À mi-temps au début, puis seulement deux demi-journées par semaine désormais, comme elle le redoutait. Le store métallique était baissé, comme celui de tous les commerces de la rue principale. Pas un chat et pas âme qui vive. Le soir, chez nous, ici, on avait l'impression qu'une bombe à neutrons (ou à hydrogène, ou thermonucléaire, ou atomique – j'étais également assez mauvais en sciences physiques), enfin, qu'un truc sacrément dévastateur était tombé dans les parages et avait décimé toute la population. Mais ce n'était pas désagréable d'avoir la ville pour soi tout seul. Ça donnait même un sentiment de puissance et d'invulnérabilité. Et il ne pleuvait pas.

J'ai poussé jusqu'à l'usine de mon père. Je devrais dire son ancienne usine, mais elle était toujours debout et fonctionnait, semble-t-il, aussi bien sans lui. La production ne s'arrêtait jamais : 24 h sur 24 et 3-8 pour les ouvriers. De loin, j'apercevais déjà ses lumières, comme un magma scintillant. C'est peut-être, le soir venu, ce qui attirait les insectes. Ça aurait expliqué que l'usine ait recraché les mouches de cadavres qui avaient voulu me tuer. Par précaution, je me suis tenu à bonne distance. L'usine était assez belle avec ses deux cheminées géantes dont la fumée noire s'échappait durant la journée. À la nuit tombée, on distinguait toujours les panaches mais qui semblaient devenus blancs. J'ai préféré ne pas m'attarder.

M'en retourner, bredouille, au pavillon ou patrouiller de nouveau en centre-ville ? En fin de compte, j'ai opté pour la voie médiane. Direction : cours Édouard-Vaillant, juste derrière le lycée d'enseignement professionnel. Je m'y attendais, vu l'heure, aucune lumière ne filtrait du hangar de la Banque alimentaire. Personne. À moins qu'ils ne se soient mis à travailler à la bougie parce qu'EDF leur avait coupé le courant, ou par souci d'économies, ou les deux. Par acquit de conscience, je suis descendu du véhicule. Quatre coups secs sur la porte en fer. Pas de réponse. Allez, encore cinq coups, des fois que Francis soit en train de cuver… S'il s'était pinté la gueule, ce qui me semblait probable, je pouvais cogner comme un sourd jusqu'au petit matin. Et c'est avec ce poivrot que je comptais dévaliser, escroquer plutôt, le supermarché ! Ce n'était pas gagné. Enfin, tant qu'il devait se contenter de me donner un coup de main pour la manutention... Je ne voulais pas que Caroline se colle un tour de reins. Bon, allez, encore trois ou quatre coups et retour au bercail. Je devais être ridicule. Ça ne tue pas, encore heureux. Les phares de la voiture projetaient mon ombre contre la porte. Comme sur un miroir grossissant et déformant, en négatif. Raison pour laquelle je n'avais pas remarqué l'affichette placardée avec des morceaux de Scotch déjà jaunis par la rouille. Les lettres capitales avaient été tracées à l'épais feutre bleu par une main décidée :

FERMETURE POUR CAUSE DE GRAND SUCCÈS.
RUPTURE D'APPROVISIONNEMENT

Je ne connaissais pas l'écriture de Caroline, mais j'ai reconnu son ironie acide. Pas sûr que les habitués des lieux en saisissent tout le sel. Effet douche froide garanti pour ceux qui comprendraient. J'ai mis tout mon espoir dans une absence. « Définitive » ne suivait pas « fermeture ». Ce pouvait donc être « temporaire » ou

« provisoire ». « Réouverture dès demain. » « Demain dès l'aube. » Et l'aube, ce peut être l'aurore. Bon, c'est vrai, parfois, en fin de soirée, je devenais lyrique.

La voiture m'a mené au Rendez-vous des amis d'Auguste en pilotage automatique. J'ignorais si l'atmosphère brumeuse était due aux volutes de Gitanes sans filtre ou à la condensation des litres de bière sués par les pores des consommateurs.

– Alors, *les amoureux* il est tout seul aujourd'hui ? Ben, il a qu'à se mettre au bar.

Ça tombait bien, ce n'était pas dans mes habitudes, mais dans mes intentions. Ce soir, on souperait tard au pavillon... Tant pis ! Auguste avait de la mémoire et me servit une pinte à peine ma paire de fesses posée sur le tabouret.

– Alors, *joli cœur*, on noie son chagrin dans l'alcool ? T'en fais pas, quand t'auras mon bide, ça t'aidera à flotter !

Normal que je n'aie pas remarqué Francis au premier coup d'œil circulaire sur les habitués : parmi ses congénères, il passait presque inaperçu. *Les amoureux tout seul*, *joli cœur* et ma pomme allions avoir de la compagnie. Le hasard fait finalement bien les choses. À défaut d'avoir retrouvé Caroline, j'étais tombé sur son copain. Le pull de montagne rouge et bleu a gentiment demandé à mon voisin de comptoir de se décaler pour prendre place à mes côtés. Pas trop près quand même car les tabourets du bar étaient scellés dans le sol, sous le lino. Pas très pratique ni très convivial, mais sage précaution qui pouvait se révéler appréciable en fin de soirée.

Francis semblait en être au stade guilleret volubile, celui qui précède le nostalgique confus, avant le mélancolique éthylique :

– Allez, raconte-moi tes malheurs. Tu sais ce qu'on dit, ceux des uns font le bonheur des autres. Ça me rendra peut-être heureux.

– Je suis passé cours Édouard-Vaillant. J'ai vu que c'était fermé. Enfin, que vous aviez fermé. C'est pas définitif?

J'avais beau être optimiste, une dénégation m'aurait tout de même conforté et rassuré.

– Ah mais ça, ce sont nos malheurs, joli cœur ! Pas les tiens. Et voilà ! Tu viens de pisser dans deux litres et demi de demis. Ben, oui. Je commençais à oublier et patatras ! Tu te ramènes pour me parler « du temps perdu »... Tu sais, celui qui s'est fait la malle sans crier gare et qui ne reviendra pas. N'en déplaise au pédé neurasthénique de Cabourg ! Faut que je recommence tout de zéro : tu me dois un début de cuite.

Ce qu'il y avait de bien, avec Francis, c'est que

les silences n'étaient pas encombrants. Siroter de concert nous suffisait.

– À propos, Francis, je voulais te demander…

– Je vous arrête tout de suite, jeune homme ! Je ne voudrais pas que vous caressiez un doux mais fol espoir.

Comme un galet conduit au rivage à intervalles réguliers par le ressac, le prof de français reprenait parfois le dessus.

– Elle est partie, Caroline ! Sans laisser d'adresse et à la cloche de bois ! Fini, terminé, envolée la Caro ! Désolé de te décevoir, joli cœur. Ah on peut dire qu'elle nous a bien laissé tomber ta copine ! Y avait pas grand-chose à soutenir, certes. Mais quand même… Foutre le camp comme ça, du jour au lendemain, « Ciao tout le monde ! » Enfin, ça doit pas t'étonner des masses vu que tu sais pourquoi. En tout cas t'es bien placé pour… Et tu connais pas la meilleure : elle est partie avec le Combi Volkswagen, Caro !

Francis reniflait dans sa barbe et pleurnichait sur la mousse de sa bière.

– Tu vois, je peux même pas t'embarquer pour aller chanter sous ses carreaux comme Nougaro. Oh, excuse-moi, fiston… Oh, je l'aimais tellement ma Caro ! Elle me manque… Augustin, la même chose ! Et je vais devenir quoi, moi, sans elle ?

Je me suis demandé si Francis parviendrait finalement à se noyer, dans l'alcool, dans ses larmes ou dans son chagrin. Je le lui souhaitais et j'aurais peut-être dû lui appuyer sur la tête. Je lui aurais bien proposé de se foutre en l'air avec nous. Comme on invite un lointain cousin esseulé le soir de Noël. Au début, tout le monde est un peu embarrassé, on n'a pas grand-chose à se dire. Puis, l'apéritif aidant, l'atmosphère se détend. Ça devient plus convivial et on se trouve même des points communs. Ça nous aurait donné du cœur à l'ouvrage et ça aurait motivé tout le monde. Certains se livrent bien à des partouzes... Je vois pas pourquoi le suicide collectif serait plus dégueulasse que la petite mort en groupe ! J'aurais bien dit à Francis de se joindre à nous, histoire qu'il se sente moins seul le jour où on s'est foutus en l'air. Mais nous ne nous connaissions pas suffisamment.

Je doutais fort que nos malheurs puissent le rendre heureux. Et puis après tout, il s'agissait d'affaires de famille. On peut être désespéré et rester pudique ! Je ne lui ai donc rien dit de mon père, rongé par le désœuvrement de la retraite anticipée comme par un cancer précoce. Rien non plus de ma sœur qui ne sortait de sa chambre que pour ses quelques heures de travail hebdomadaires, les repas et nous jeter à la figure des tombereaux de hargne.

Maman. Il restait bien maman et j'aimais penser à elle. Mais ç'eût été trop long à expliquer. Qu'en avait-il à faire que ma mère soit malade ? « Les nerfs. » C'est ce que les médecins successifs avaient diagnostiqué. Santé fragile, équilibre psychique précaire, un rien la clouait au lit : une migraine, un rhume des foins ou de cerveau, une crise de cystite. La vie de ma mère, ça n'avait pas été drôle tous les jours. Sa constitution chétive lui avait interdit de travailler. Quel employeur lui aurait passé les absences, les arrêts maladie à répétition, les coups de fatigue en pleine journée ? « Et quelque chose à domicile ? Elle ne pourrait pas se trouver quelque chose depuis chez elle, votre mère ? Pas un vrai travail, une occupation plutôt, vous voyez ? » C'était une idée de son deuxième généraliste. Un toubib prévenant, celui-là, attentif et qui se creusait les méninges pour imaginer des solutions palliatives à défaut de la sortir de son mauvais pas. Toute la famille s'était mise à chercher ce qui aurait bien pu convenir à maman. Et puis, on avait fini par lui demander ce qu'elle aurait aimé faire. « La cuisine », a-t-elle répondu avec un large sourire que je ne lui avais jamais connu.

– Et toi que vas-tu faire, Francis ?

– Partir. Rôder. Par-ci, par-là. Je ne sais pas trop où… Sinon, j'ai un autre projet, mais faut être deux. Ça peut rapporter et on voit du pays. Tu veux en être ?

Mais qu'est-ce que j'étais pas allé lui demander là ? Ça a duré deux tournées (les miennes en plus !), l'explication par le menu de son « casse-du-siècle-en-toute-légalité ». D'abord, il fallait aimer les chiffres. Eux et moi, on n'a jamais été vraiment copains. Après, c'était pas plus mal de s'y connaître un minimum en jeux de hasard. Or, dans la famille, on ne laissait rien au petit bonheur la chance, ni au hasard Balthazar ! La prévoyance de mon père aurait pu le mener à la tête du service comptable d'une compagnie de réassurance. C'est dire si s'en remettre aux astres, aux cartes, ou au destin, c'était pas dans les us et coutumes du pavillon. Donc, le loto, le PMU, le flipper, les bandits manchots, le rouge et le noir, les vacances au pied levé, les amours de vacances, le rami en famille, très peu pour nous. La seule fois où papa s'est accordé une marge d'incertitude… Enfin, je ne veux pas retourner le couteau dans le petit porteur. Alors la martingale de Francis… une chance que mon père n'a jamais entendu ça. L'ami avait cogité à une méthode « imparable » pour gagner à tous les coups au Rapido. Sans m'y être jamais risqué, je savais que c'était une sorte de loto des familles adapté aux piliers de bistrots. Huit chiffres à cocher dans une grille de vingt numéros, histoire de passer le temps qu'on est en train de perdre à boire une bière. Un tirage toutes les trois minutes sur un écran jamais loin du regard des consommateurs. Si on gagne, on offre le champagne à toute la clientèle, si on perd, on reprend une mousse en attendant le prochain tirage. Bref, Francis avait eu tout loisir pour lire le dos des tickets. Et au revers des grilles, en tout petit (« Ce qui prouve bien qu'il s'agit d'une mention obligatoire mais qu'ils auraient préféré la taire... »), il avait aperçu : « Pour les DOM, les jours de tirages correspondent aux dates de la Métropole. » Sans doute une variante de la « continuité territoriale de la République ». En tout cas, ça avait fait tilt ! Bête comme chou, son astuce reposait sur le décalage horaire. C'est là que j'entrais en scène :

– Tu prends le premier vol pour Saint-Pierre-et-Miquelon.

– Hein ?

– Ben oui, moins quatre heures, mon gars ! Donc, tu t'envoles. Une fois sur place, tu prends tes quartiers dans le premier rade venu avec Rapido et téléphone – c'est important ! Là, tu commandes une bière, ou une liqueur locale…

– Je peux prendre ce que je veux ?

– Hein ? Mais oui, on s'en fout, c'est accessoire. Surtout, tu suis les tirages en notant scrupuleusement les numéros. Et tu m'appelles discrètement pour me communiquer les résultats. Moi, ici, là-bas, chez nous, en Métropole, je les joue quatre heures après ton coup de fil. Dix euros de misés, huit bons numéros : cent mille euros empochés ! Tu vois, pas besoin de sortir de Centrale. Qu'est-ce que tu dis de ça, joli cœur ?

– Je crois que t'es bourré, Francis.

– Non, mais j'y travaille.

Il a continué à me bonimenter un peu. Il paraît que le climat de Saint-Pierre ne m'aurait pas trop dépaysé. Mais je crois que j'aurais eu peur en avion si je l'avais pris un jour. Et puis, sans pour autant être superstitieux, vous connaissez le dicton : « Heureux au jeu… »

23

Pour une belle cérémonie, ce fut une belle cérémonie. Nous sommes arrivés tous les quatre à la queue leu leu, en délégation. Papa ouvrait le défilé, suivi de maman, sœurette et moi qui fermais la marche.

Oui, vraiment une bien belle cérémonie. Dommage que nous n'ayons pas pu y assister. Ça me rappelle cette blague que ma mère aimait nous raconter lorsqu'elle épluchait les pommes de terre ou vidait un poisson en cuisine au-dessus du journal déplié, jetant un œil à la page du « carnet et petites annonces » : « Tiens, Machin est mort ! Eh bien je n'irai pas à son enterrement… parce qu'il ne viendra pas au mien ! » La chute était attendue, depuis le temps, nous la connaissions. Mais toute la famille riait de bon cœur. Un peu par habitude et, aussi, parce que c'est amusant d'ironiser sur la mort d'un inconnu.

Ce jour-là, sur les coups de seize heures, on nous a emmenés à nos funérailles. En tant que vedettes du jour, nous avions les meilleures places. Vu l'affluence, le curé a dû regretter de ne pas pouvoir faire payer l'entrée du cimetière qui jouxte son église : « Il reste des tickets ! Cinq euros debout dans la fosse ! Mais non, madame, dans la fosse ça ne veut pas dire dans le trou avec les cercueils. À ce prix-là ! C'est une expression du métier pour désigner le demi-cercle au plus près de l'action, de là où ça bouge. Comme sur la scène du Zénith, vous voyez ? Vous êtes tout près des vedettes, mais debout. Comment ? Vous n'allez jamais au concert… »

Ah oui, il y avait un curé. Et aux ignares qui s'en sont étonnés en chuchotant durant son homélie, je rappellerai que le suicide n'est plus péché mortel depuis 1983 ! « On ne doit pas désespérer du salut éternel des personnes qui se sont donné la mort. Dieu peut leur ménager, par les voies que Lui seul connaît, l'occasion d'une salutaire repentance. L'Église prie pour les personnes qui ont attenté à leur vie. » Nouveau Catéchisme de l'Église catholique, paragraphe 2283, signé

Joseph Ratzinger – alors préfet de la congrégation pour la doctrine de la foi –, qui poursuivit une brillante carrière par la suite, mais sous pseudo. Bon, c'est vrai que la tournure est un peu alambiquée. Je suppose que l'opportunité d'accorder, ou pas, des funérailles ecclésiastiques est laissée à l'appréciation souveraine du prêtre. En cas d'hésitation, il peut toujours demander le conseil éclairé de l'évêque du coin, comme un sous-préfet dans le doute qui, en l'absence de son supérieur hiérarchique direct, appelle Paris. Enfin, notre dossier, certes pas banal, n'avait pas dû remonter jusqu'au Vatican.

Vu que nous n'avions pas d'autre famille que nous-mêmes, c'est la municipalité qui s'est chargée de nos obsèques – avec notre argent, celui qui restait sur le compte commun des parents suffisait amplement. L'adjoint à la culture a hérité de notre affaire. Organiser des funérailles ne relevait pas de ses attributions (lui, c'était plutôt la grande brocante vide-greniers de Noël), mais il fallait bien qu'un élu s'y colle et, ça tombait bien, celui à la culture n'était jamais débordé. Heureusement, avec la maison Dulac, on avait affaire à de véritables professionnels. Depuis trois générations, ils enterraient une bonne partie de la région. Qui pour la grand-mère, qui pour le mari cirrhosé ou accidenté du travail, ou pour le fils dont la fête d'obtention du permis de conduire s'est terminée dans le ravin, après avoir traversé le pare-brise, un samedi vers trois heures du matin. Les familles qui recouraient à leurs services n'étaient jamais déçues. Avec Dulac, on avait l'assurance du travail bien fait et la garantie de l'honnêteté. Pas le genre à profiter de l'indicible affliction ou du chagrin qui rend aveugle pour vous refiler le modèle « Président : acacia finition sycomore, poignées ouvragées et coussins confort satinés ». *La satisfaction pour l'éternité*. Mieux qu'un slogan, une devise ! Et qui n'avait jamais été prise en défaut par les clients – les vivants, parce que les autres, ils ne pouvaient plus donner leur avis et, de toute façon, s'en foutaient bien. La PME régionale Dulac était un peu aux endeuillés ce que Leroy Merlin était aux bricoleurs : toilette du corps et habillement, large choix d'essences de bois, gerbes et couronnes (fleurs naturelles, semi-artificielles, synthétiques), marbres italiens et comblanchien (tigrés, rosés, fantaisie), plaques, croix, étoiles, mains de Fatma et accessoires, citations personnalisées, médailles et distinctions gravées (même le brevet des collèges), portrait d'après photo ou description, musiques sélectionnées (classique, baroque, jazz New Orleans), pleureuses et processions. En boutique, on pouvait vite se laisser tenter et faire des folies. Certains optaient pour la formule « Grandes Pompes », alléchante et plus avantageuse avec toutes les options, mais pas donnée quand même… « Certes, mais madame, on ne meurt qu'une fois ! »

Dulac ne pratiquait pas le tarif de groupe. Mais pour nous quatre, l'adjoint à la culture a pu obtenir un bon prix. On ne refuse rien à la mairie. Aussi, notre dernière balade en ville se présentait-elle sous les meilleurs auspices. Pourtant, tout aurait pu tourner de travers et à la catastrophe, comme un mariage pluvieux ou une nuit de noces trop arrosée. Car chez Dulac, on donnait dans l'artisanal, le cousu-et-fini-main, pas dans le demi-gros. La petite entreprise de pompes funèbres n'avait ainsi jamais eu à porter en terre quatre clients en même temps. Même pour l'accident du car scolaire, au retour des vacances, on n'avait déploré que trois décès (un CM1 et deux CM2). Les autres s'en étaient tirés par miracle, certains estropiés, mais tous vivants. Il y avait bien eu l'incendie de la maison de retraite : deux intoxications au monoxyde de carbone, une défenestration, une glissade fatale dans les escaliers et une crise cardiaque. Cinq morts. Mais c'était il y a longtemps et plus personne ne se souvenait des modalités pratiques de ces enterrements.

À nous quatre, nous étions un peu une première. Surtout, la maison Dulac ne disposait que de trois corbillards : des Renault Espace anthracite foncé avec des liserés mauves tirant sur le violacé sur les côtés. La classe ! Mais bon, il manquait une fourgonnette. Un peu plus, et je serais arrivé en retard, après les autres. C'est là que l'édile s'est montré utile. Ni une ni deux, l'adjoint à la culture a réquisitionné un utilitaire de la mairie. Coup de chance, la Citroën Berlingo des services techniques voirie/espaces verts était disponible. On m'a donc mis à l'arrière de la camionnette bleu marine. Le cortège était un peu dépareillé, mais l'essentiel est d'arriver à bon port.

Le parking du cimetière n'avait pas été conçu pour la cohue des grands jours. Très vite saturé, on se serait cru au Mont-Saint-Michel un week-end de 15 août. Certains avaient même dû se garer loin de l'entrée, le long du mur d'enceinte, deux roues sur le bas-côté herbeux, comme pour la grande brocante vide-greniers. Les corbillards ont eu les plus grandes peines à se frayer un chemin jusqu'aux grilles. Les croque-morts n'allaient tout de même pas se coltiner nos cercueils à pinces sur cinq cents mètres le long de la nationale avant d'attaquer les gravillons, remonter l'allée centrale, tourner à gauche, puis à droite, contourner le carré protestant, « attention au parterre fleuri ! » et « ouf ! c'est bon on peut poser ». Monsieur le curé s'est donc improvisé agent de la circulation : « Le propriétaire de la berline Audi prune métallisée (c'était celle du directeur du supermarché qui était venu accompagné de sa secrétaire) est prié de déplacer son véhicule. » Les gendarmes auraient tout de même pu lui donner un coup de main. Après tout, Benoît, Chabert et la petite escouade en uniforme d'apparat étaient en service.

Le petit événement de notre inhumation avait rameuté du peuple. Même si ma sœur s'était mariée, nous n'aurions pas pu compter sur autant d'invités. Il n'était pas dupe, Mon Père, et savait que le succès de nos obsèques devait beaucoup à l'effet de curiosité, parce qu'« on en avait parlé dans le journal ». Du jour au lendemain, nous nous étions découvert un tas de nouveaux amis, un peu comme si nous avions empoché le gros lot du Rapido. Les badauds de cimetière étaient de sortie. Lorsque le macchabée est célèbre, ce sont eux que la télévision interroge pour le journal de 20 heures, témoins anonymes pour micros-trottoirs d'enterrements médiatiques : « Je suis très émue. C'était quelqu'un d'exceptionnel. Je ne le connaissais pas, mais quand j'ai appris… J'ai su que je devais être là. » Ça lui fait une belle jambe, à Jacques Villeret, connasse ! Moi, j'appelle ça des pique-assiette du macabre !

Au final, notre mise au tombeau a été une réussite, et nous avons été recommandés à Dieu : « Oui, ces quatre âmes tristes que nous n'avons pas su embrasser à temps et réconcilier avec la vie d'ici-bas méritent notre pitié et notre piété… » Merci bien, Padre. L'oraison aurait ravi maman. Elle se serait bien moquée de ces gens qui ne l'auraient même pas reconnue sur les allées du marché le mercredi matin et qui encombraient maintenant l'église puis le cimetière. Le plus important, à ses yeux, était encore la présence du cureton. Ma mère n'aimait pas qu'on blasphème : « On ne sait jamais », « On n'est jamais trop prudent. » Parfois, le dimanche matin, elle suivait la retransmission télévisée de la messe sur le service public. « Alors, ça bigote ? » la charriait gentiment ma sœur. « Je regarde parce que c'est tourné dans une église différente chaque semaine », se justifiait maman. « Ah bon, si c'est du tourisme ecclésiastique, c'est pas pareil… » Pince-sans-rire sœurette, comme toujours. Maman ne pratiquait pas, c'est vrai. Et alors ? On peut suivre les étapes du Tour de France sans savoir monter à bicyclette.

Le fond de l'air était encore frisquet, mais Nathalie et ses copines n'avaient pas revêtu le gilet rouge sans manches façon doudoune du supermarché. Et si elles tremblaient, c'était à cause des augures de Fabienne. Notre enterrement, enfin surtout le mien, ça l'inspirait, mon ex-collègue syndiquée du rayon boucherie : « Ça y est, ça commence à décaniller chez nous aussi ! Vous allez voir les filles, c'est que le premier. Son suicide, c'est pis qu'un accident du travail : c'est la conséquence i-né-luc-table de nos conditions de travail. Si vous faites les soldes, choisissez du noir, ou du très sobre, ça va servir ! Quoi je dramatise ? Va dire ça au Technocentre de Renault ou à France Télécom… Tu vas voir, si je dramatise ! » Elle avait repris du poil de la bête.

Hormis maman, qui ne travaillait pas, sœurette et papa avaient, comme moi, eu l'honneur d'une visite posthume de leurs anciens collègues et patrons.

Je ne vais pas pousser trop loin l'analogie avec le mariage de ma sœur que nous n'avons pas célébré, mais, enfin, côté cadeaux, force est de constater que certains ne s'étaient pas foulés. C'est pour ça que les listes existent à la boutique Bonheur des Dames de France, ça limite les déconvenues. On devrait également pouvoir déposer une liste aux pompes funèbres. Et là, pas de risque qu'on aille emmerder les vendeuses de chez Dulac pour échanger la Gerbe Royale contre une plaque « Regrets Éternels – Granit Rose Ruby – Gravure diamant garantie inaltérable – Dorure à la feuille d'or 24 carats – Parfaite tenue des couleurs en extérieur ».

Dans la collection rapiats ou têtes en l'air (« Zut ! On n'a rien acheté et c'est dans deux heures »), Denise et Michel s'étaient distingués. Pas gênés, ils se sont radinés avec une couronne de l'auto-école, de celles qu'ils offraient d'habitude aux parents de leurs élèves fraîchement titulaires du permis et morts prématurément sur les routes. En forme de roue de bagnole (comme toutes les couronnes, me direz-vous), reconnaissable au ruban blanc et rouge, style panneau de signalisation : « Bonne route ! Toute l'équipe de l'Auto-école Michel & Denise. » Toute l'équipe moins ma sœur, bien sûr. Et pourquoi pas distribuer les prospectus des formules code-conduite durant l'office, tant qu'on y est !?

Papa, lui aussi, a eu droit à la petite attention de ses anciens collègues de l'usine. Mais c'était autre chose ! Un truc vraiment bien, personnalisé et tout et tout. Bon, il s'agissait, encore, d'une plaque émaillée. Mais avec son nom dessus, sa date d'entrée dans l'entreprise et celle de sa préretraite. En arrière-plan, une discrète reproduction de l'usine se détachait sur fond bleu nuit, avec les cheminées et leurs volutes. Une pièce unique. Kitch, mais collector.

D'autres ont même eu la désinvolture de se pointer les mains dans les poches, notamment le directeur du supermarché et cette vieille chouette de madame Bin (pourquoi en suis-je étonné?) Celle-là, qui a décidément raté sa vocation de concierge, aurait été une bonne cliente pour le JT local : « Je les connaissais très bien. C'est moi qui les ai découverts. Vous pensez, quel choc! Ah, c'est des voisins que je vais regretter. » Ben oui ma bonne dame, et y a plus de saisons. Connasse! Vieille carne! Sûr que pour tes funérailles, y aura moins de monde. J'espère que tu te feras incinérer, tu prendras moins de place! Pardon, je m'emporte et je m'égare. La sale bique avait même trouvé le moyen de jouer des coudes pour figurer au premier rang. Un pas de plus et elle tombait dans la fosse avec nous, merci bien! Son sourire pincé s'est retrouvé le lendemain sur la photo qui illustrait l'article que le torchon régional consacrait à nos obsèques. Parce qu'il était là aussi, Tintin reporter!

C'est tout le problème des enterrements : il y a ceux qu'on est bien content de ne plus jamais revoir mais qui rappliquent quand même, et ceux dont l'absence pèse aux disparus. Caroline était de ces absences.

Francis, lui, était venu et avait tenu le coup. Un temps au moins. Il a déboulé pas trop soûl, avec quelques camarades de la Banque alimentaire et flanqué d'Auguste, lui-même accompagné de ses « amis ». Attention, pas tous, seulement des fidèles, le premier carré des habitués.

Mais les émotions, ça ne lui vaut rien de bon, à Francis. Heureusement qu'il était tout à l'arrière. Non pas qu'il aurait fait tache sur la photo du journal (au contraire, j'aurais préféré sa trogne d'alcoolo et son gros pull à la mère Bin avec son éternelle blouse de cul-terreuse), mais ainsi, il était plus proche des grilles et de la sortie. Après un bon quart d'heure, Francis a décrété : « Bon, on sait comment ça finit, les mises en bière. Alors, justement, on va s'en jeter une ! » Sa petite troupe n'a pas eu beaucoup de route et ce n'était pas plus mal, vu que ça tanguait déjà sévère pour ceux qui avaient commencé tôt dans la matinée. La Poterne se trouvait à moins de deux cents mètres du cimetière. En chemin, un ancien permanent bénévole de la Banque alimentaire s'est soulagé sur une berline Audi prune métallisée et un des amis d'Auguste a manqué de valser sur le bas-côté. Mais grosso modo, la promenade s'est bien passée.

– La Potence, c'est bizarre quand même d'avoir choisi un nom pareil à deux pas du cimetière.

– La Poterne, andouille! Pas la Potence! Une poterne, c'est une petite porte que les marins empruntaient jadis au fond des coursives d'un navire.

Le prof de français venait d'émerger des vapeurs d'alcool, avant de s'y fondre tout à fait et de disparaître, comme les marins bourrés devaient se prendre la poterne dans la gueule, jadis.

Auguste avait beau connaître le proprio de l'estaminet, un confrère, il n'a pas pu l'empêcher de foutre toute l'équipe dehors, « avec un coup de pied au cul, si ça suffit pas! » Le Thénardier de la Poterne s'était mis en rogne. Motif : Francis et ses copains avaient entrepris d'insulter copieusement les croque-morts qui sirotaient un petit noir au comptoir en attendant la fin de notre cérémonie. Bon, aussi, ils l'avaient un peu cherché, avec leurs commentaires déplacés et à haute voix :

– Vous vous rendez compte, les gars? Quatre d'un coup. Couic!

– Quel âge il pouvait avoir, le père, cinquante-deux, cinquante-quatre? Vous vous rendez compte, les gars ? À cet âge, j'aurai même pas fini de rembourser mes crédits.

– Et le fils ! Non mais vous avez vu la photo du fils dans le journal ? Il avait un drôle de regard, pas net, pas clair. Moi, ça m'étonnerait pas qu'il ait entraîné les autres.

– De toute façon, on saura jamais rien, ils ont même pas laissé d'explication.

– C'est louche.

– T'as raison, c'est louche.

– Ouais, d'ailleurs, vous avez vu ? Les gendarmes sont là.

– C'est louche tout ça.

Après avoir bouilli, le sang de Francis ne fit qu'un tour :

– Fermez-la, les Charon et les Phlégyas ! Tas d'enculés ! (Quand il avait un peu trop bu, Francis n'aimait pas se sentir seul.) Mais qu'est-ce que vous savez d'eux, hein ? Rien ! Moi non plus d'ailleurs.

Il a commencé à pleuvoir, la bande à Francis est rentrée à pied, pleine comme une outre et trempée comme une soupe.

24

Il a cessé de pleuvoir au bout de trois jours. La lourde grille du cimetière était encore humide, l'eau s'infiltrant jusque dans ses gonds pour les rouiller un peu plus, lorsque Caroline l'a poussée. Tout en s'avançant sur les gravillons, elle a essuyé sa paume droite contre son blouson. Un beau blouson d'aviateur, un peu large pour elle. Les petites particules de rouille et de peinture écaillée sont venues s'écraser et s'incruster dans l'épais cuir marron.

Facile de se repérer. En balayant le cimetière du regard, Caro n'a pas tardé à localiser notre tombe, sur la gauche, derrière le carré protestant. La sépulture était la seule à déborder de fleurs encore détrempées et entourées de terre fraîchement retournée. En fin de matinée, un peu avant l'heure de l'apéritif et sans doute dissuadé par la pluie, pas un éploré ne s'était déplacé pour rendre visite à ses chers disparus. Caroline était seule au milieu des pierres tombales. Elle s'est arrêtée devant la nôtre et a lu nos quatre noms qui y étaient gravés. De toute façon, il n'y avait pas grand-chose d'autre à lire aux alentours. Prénoms, nom, dates de naissance et de mort. La même pour tous. Point barre. Pas de blabla ni de fioritures. Sobre et direct à l'essentiel. Ça m'a toujours étonné, ceux qui songent à leur épitaphe, cogitent à une citation durant des plombes, cherchent le bon-mot-de-la-fin. Si on a quelque chose à dire, on le doit de son vivant! Après, c'est trop tard et on ferme sa gueule.

Caroline avait évité l'attroupement de nos funérailles. Ce n'était pas plus mal, elle détestait la foule. Difficile d'imaginer ce qui lui passait par la tête et je ne me vois pas m'y risquer. Trop peur de me tromper. Elle ne pleurait pas et ne semblait pas plus foudroyée par le chagrin que terrassée par la peine. Trop habituée au malheur, sans doute. Elle aurait tout aussi bien pu préférer jeter un voile sur ses souvenirs, par pudeur ou par habitude, encore. J'avais pu constater que les effusions et les épanchements, ce n'était pas son truc. Aussi ne me suis-je pas formalisé. Après tout, les grandes douleurs sont muettes. Comme l'amour est aveugle. Mouais...

C'est pas tout ça mais, quand on n'a pas grand-chose à se dire – a fortiori quand l'autre ne peut pas répondre –, le temps ne passe pas vite. Elle allait finir par s'enrhumer à rester ainsi, immobile devant notre concession. Son petit nez allait rougir de nouveau, elle allait renifler. Elle allait attraper la mort.

« Dong ! Dong ! Dong ! » Une heure moins le quart. Ça ne devait pas importuner ma mère, bien au contraire, mais moi, la cloche qui marquait toutes les quinze minutes et égrenait les heures, en les répétant à trois minutes d'intervalle en plus ! ça commençait à me taper sur le système. Un vrai malade, le cureton. Il avait sans doute débuté sa carrière comme bedeau. Ce n'est pas une raison. Bonjour le havre de tranquillité où les âmes reposent en paix ! Essaie donc avec un tel boucan. Et à midi et minuit, je vous dis pas ! Un festival. Vingt-quatre coups ! Et puis, quand on a l'éternité devant soi, on se fiche bien de savoir l'heure qu'il est.

Caroline a tourné la tête en direction du clocher, agacée elle aussi.

Elle a plongé la main dans la poche de son

blouson à la Romain Gary et en a extirpé deux feuilles, pliées en quatre. Une lettre ? Pour moi ! Oh ma Caro, c'est... C'est tellement...

Elle s'est accroupie devant notre caveau familial. Assise sur ses talons, elle a écarté un petit rhododendron d'un myosotis sans fleurs. Tout ce fouillis. Quel désordre, j'étais désolé. Caroline a soulevé un des pots de fleurs et glissé sa lettre sous la coupelle qui recueille le trop-plein d'eau. Le rebord des feuillets était à peine écrasé par le poids et sa lettre était directement au contact du marbre moucheté, à hauteur de mes pieds qui se trouvaient juste au-dessous, une quarantaine de centimètres plus bas.

En se relevant, elle est restée silencieuse, sans bouger durant de longues minutes.

« Voilà, c'est pour toi. Tu m'excuseras, je ne te fais pas la lecture. Mais parler à une pierre ou à un mur... Encore, tu serais dans le coma, même dépassé. Mais, là... »

Caroline s'est tue de nouveau. « Dong ! » Une heure. Trois minutes passèrent, « dong ! » Bon ça va, on a compris ! Ce n'était vraiment pas le moment.

« Je vais partir, tu sais. Je vais partir ce soir, j'ai de la route. Ne m'attends pas, je ne reviendrai pas. Je te laisse une lettre, tu as tout le temps pour la lire. Même pour l'apprendre par cœur. Je crois que je n'ai rien oublié. »

Muette, elle a baissé la tête. Les yeux fermés, Caroline a ôté son petit bonnet de laine noir pour offrir ses cheveux au vent. Les paupières toujours closes, elle eut un petit reniflement. Et voilà, j'étais sûr qu'elle allait prendre froid. A-t-on idée aussi de...

Subitement, presque violemment, elle a relevé la tête et planté ses pupilles sur mon nom gravé. « T'es vraiment trop con... Trop con... Trop con, tu m'entends ! »

Caroline a empoigné une des barres de la grille qui se terminaient par une pique et tiré de toutes ses forces comme si elle voulait à tout prix ouvrir une porte sur l'extérieur, respirer à pleins poumons et au grand air. En se refermant, la grille a émis un cri que je ne suis pas près d'oublier, un affreux craquement, comme des os que l'on brise ou le billot qui s'abat.

Caroline est montée dans l'habitacle du Combi blanc Volkswagen, a tourné la clé, démarré et filé tout droit, sans même un dernier regard en ma direction, vers moi, sous les fleurs, là-bas au loin derrière les grilles.

J'ai entendu de nouveau le portail, imitant cette fois le chuintement ridicule et caractéristique d'un film avec Christopher Lee, *La Fiancée de Dracula*. Grotesque. Deux visites dans la même journée, mais c'était fête ! J'aurais sans doute trouvé cela sympathique si je n'avais pas été si malheureux. Mort et malheureux ! Une vraie contre-publicité pour le suicide. Dong ! Dong ! Dong ! Don... Ta gueule ! Non mais, c'est vrai à la fin. On ne peut même pas ruminer ses pissenlits tranquille.

Le crissement du gravier semblait poussif. Rien à voir avec le pas de Caroline dont les bottines de cuir noir, celles qui enserraient délicatement ses chevilles, écrasaient les cailloux d'un talon ferme. Non, ce ne pouvait pas être elle. Je devais faire mon deuil de son retour.

Putain, la mère Bin !

Y a des jours comme ça, même en restant couché, les emmerdements vous tombent dessus et le malheur vous accable. Manquait plus qu'elle et... « Dong ! » Mais tu vas la fermer, bordel ! Je n'en pouvais plus. Si j'avais pu, je me serais bien retourné pour enfouir mon visage au creux du coussin satiné de chez Dulac. Pourquoi elle venait ici, la vieille bique ? Elle ne nous avait pas assez pompé l'air de notre vivant? On ne se parlait jamais. Moi, en tout cas, je me refusais à lui adresser la parole. Elle scrutait nos allées et venues derrière la dentelle de sa cuisine. Tu parles d'une relation de proximité! Et maintenant, elle ne pouvait plus se passer de nous? Connasse!

Les Feux de l'amour devaient s'être éteints – jusqu'au lendemain comme tous les jours depuis quinze ans –, signal pavlovien commandant à la concierge de passer à un autre feuilleton, celui du spectacle des habitants de sa rue, de ses voisins. « Ah mais c'est vrai, ils sont morts. Je suis bête. » Eh oui, Bin, on s'est tués et, franchement, je ne te regrette pas. Alors ta visite de courtoisie... C'est peut-être toi qu'on aurait dû zigouiller, passer par les armes ou par la fenêtre, achever à coups de bottes, brûler... Du calme. Du calme. Même six pieds sous terre, je devais me tenir à mes bonnes résolutions. Du calme.

Bon, qu'est-ce qu'elle nous voulait la raclure de bénitier? Aïe, elle n'était pas venue les mains vides. Ça ne présageait rien de bon. Elle n'allait tout de même pas se sentir investie de la mission de veiller sur notre repos éternel, de prendre soin de notre dernière demeure, la fée du logis en bas à varices? Le service voirie/espaces verts est là pour ça! Et si ça ne suffit pas, monsieur le curé accomplit sa tournée d'inspection du cimetière deux fois par mois. Alors tu laisses nos rhododendrons tranquilles, compris ?

Qu'avait-elle rapporté ? Des fleurs, c'est original. En pot, c'est la moindre des choses. Oh mais, mais je les reconnais… Pas gênée, sans complexes la mère Bin, comme à son habitude. Elle serrait un bégonia de notre ex-voisin d'en face entre ses bras fripés et sa blouse de cul-terreuse. Le gentil voisin que papa, maman, sœurette et moi avions, un temps, imaginé cané, lui avait sans doute donné. La simple idée que cette pauvre folle vienne ratasser au-dessus de nos cadavres sans que nous puissions bouger le petit doigt avait de quoi mettre en rogne. Et c'est pourtant ce qu'elle a fait. Ah le supplice ! Ah mais de quoi j'me mêle ! Ah la conne !

Bin a tenté de solliciter ses articulations arthrosées. C'est douloureux, hein ? Bien fait ! De toute façon, il n'y avait plus de place sur la dalle de marbre. C'est complet, dégage. Mais, entêtée comme une mule, la vieille chouette a entrepris de pousser les pots de fleurs avec le pied pour poser les bégonias du voisin. Vas-y, te gêne pas.

Le rhododendron a vacillé dans sa coupelle. Et le myosotis sans fleurs a renoncé. Il s'est couché, avant de rouler jusqu'au bord de notre tombe et de choir sur les gravillons, la terre cuite brisée en mille morceaux, laissant apparaître une chevelure de racines humides.

La lettre de Caroline en a profité pour reprendre sa liberté. Un coup de vent et les feuilles se sont envolées près des arbres qui, eux, n'en avaient plus.

Je l'aurais tuée, Bin.

La lettre de Caroline ne sera pas restée longtemps près de moi, pas si loin de mon cœur qui devait déjà commencer à se décomposer.

Comme l'autre lettre, la nôtre s'était envolée. Lorsque Bin avait pénétré dans le pavillon familial pour nous découvrir suspendus à la poutre, un courant d'air s'était engouffré, se saisissant de nos dernières paroles. Elles avaient virevolté avant de terminer leur baptême de l'air coincées entre le mur et le buffet Henri II. Personne n'avait eu l'idée de regarder là. Bien cachée, notre lettre devait s'y trouver encore.

Elle finirait bien par réapparaître, un jour. D'outre-tombe.

25

Le surlendemain, bien qu'ayant été informé de l'événement avant le plumitif, un article du journal local aurait retenu tout mon intérêt si j'avais pu le lire.

Un violent incendie ravage le supermarché régional

Spectacle de désolation. Il ne reste rien des milliers de mètres carrés du supermarché régional, entièrement détruit par un incendie d'une rare violence qui s'est déclenché hier vers quatre heures du matin.

Les soldats du feu, intervenus aussitôt l'alerte donnée, n'ont pu qu'assister, impuissants, à la rapide progression des flammes. Selon le capitaine des pompiers, il semble que le sinistre se soit déclaré dans l'aile nouvellement créée du « Super-Hard-Discount » qui jouxtait les réserves, près du parking des livraisons.

Rien ne permet, pour l'heure, de déterminer les causes du sinistre. Seule certitude, ce fait divers va bouleverser les habitudes d'un grand nombre d'habitants de la région qui venait se ravitailler auprès de la grande surface. Dommage collatéral, si l'on ose dire, tous les employés de l'enseigne ont été placés en chômage technique avec effet immédiat et pour une durée indéterminée. Sollicitée à plusieurs reprises, la direction du magasin n'a pas souhaité répondre à nos questions. Mais une source syndicale interne nous a indiqué que « la tragédie peut être fatale à l'activité qui pourrait ne jamais reprendre ». Toujours selon cette source, les règles pourtant fixées par le comité d'hygiène, de sécurité et des conditions de travail n'étaient pas toujours respectées.

Accident ou main criminelle ?

Mais il est trop tôt pour porter des accusations et mettre en cause le fonctionnement de l'entreprise. Dès hier, des témoins oculaires ont affirmé avoir aperçu une fourgonnette blanche, possiblement un

Combi de marque Volkswagen, s'éloigner à vive allure des lieux de l'incendie vers 3 h 45. Toutefois ces témoignages, bien que concordants, doivent être considérés avec circonspection, car émanant tous de clients qui sortaient d'une boîte de nuit bien connue. Reste donc que l'hypothèse d'un geste criminel ne saurait être exclue à ce stade.

L'enquête, qui s'annonce longue et difficile, a été confiée à la Section de Recherches de la gendarmerie, placée sous les ordres du lieutenant-colonel Benoît qui, pour l'heure, n'exclut aucune piste et se perd en conjectures.

Ce 305e titre du Dilettante a été achevé d'imprimer à 2 222 exemplaires le 30 avril 2012 par l'Imprimerie Floch à Mayenne (Mayenne). Il a été tiré, en outre, 13 exemplaires sur vélin pur chiffon, numérotés à la main. L'ensemble de ces exemplaires constitue l'édition originale de « Haut et court », de Philippe Cohen-Grillet.

Dépôt légal : 2e trimestre 2012
(82353)
Imprimé en France